Garçon manqué

Catalogage avant publication de Bibliothèque et Archives nationales du Québec et Bibliothèque et Archives Canada

Champagne, Samuel, 1985-
  Garçon manqué
  (Tabou ; 21)
  Pour les jeunes de 14 ans et plus.
  ISBN 978-2-89662-331-0
  I. Titre. II. Collection : Tabou ; 21.

PS8605.H352G37 2014   jC843'.6   C2014-940091-8
PS9605.H352G37 2014

Édition
Les Éditions de Mortagne
Case postale 116
Boucherville (Québec)
J4B 5E6
Tél. : 450 641-2387
Téléc. : 450 655-6092
Courriel : info@editionsdemortagne.com

Dépôt légal
Bibliothèque et Archives Canada
Bibliothèque et Archives nationales du Québec
Bibliothèque Nationale de France
1er trimestre 2014

ISBN 978-2-89662-331-1
ISBN (epdf) : 978-289662-332-7
ISBN (epub) : 978-289662-333-4
1 2 3 4 5 – 14 – 18 17 16 15 14
Imprimé au Canada

Nous reconnaissons l'aide financière du gouvernement du Canada par l'entremise du Fonds du livre du Canada (FLC) et celle du gouvernement du Québec par l'entremise de la Société de développement des entreprises culturelles (SODEC) pour nos activités d'édition. Gouvernement du Québec – Programme de crédit d'impôt pour l'édition de livres – Gestion SODEC.

Membre de l'Association nationale des éditeurs de livres (ANEL)

Samuel Champagne

Garçon manqué

ÉDITIONS DE MORTAGNE

À Gabriel, Gabriel, Gabriel, Damien, Mika, Kim, et tous les autres. Garçon manqué *est un peu mon histoire et un peu la vôtre aussi.*

Sommaire

Prologue
15 ans

Éloi Gallagher. C'est comme ça que je m'appelle. Même si, à ma naissance, mes parents avaient choisi pour moi le prénom Éloïse. Ils pensaient alors que je serais une petite fille comme les autres. Mais non... je ne suis pas un gars comme les autres.

J'ai un défaut. Bon, j'en ai plusieurs, c'est évident, mais ce que je veux dire, c'est que j'ai un défaut de fabrication. Quelqu'un, quelque part, a mal lu le mode d'emploi quand il m'a assemblé. Il y aurait dû avoir autre chose entre mes jambes, j'aurais dû avoir un autre genre d'hormones. Bref, ce quelqu'un s'est trompé. Il a mis une tête de gars dans un corps de fille.

Certains disent que ça se passe tout au début du processus, quand il n'y a qu'une petite cellule qui va grossir. À ce moment-là, il paraît qu'on est gars *et* fille. Le temps passe et notre corps devient soit gars, soit fille, puis on naît. Les gens regardent entre nos jambes et disent : « C'est une fille ! » ou « C'est un garçon ! ». Mais ce n'est pas toujours aussi simple.

Parfois, il y a des erreurs. Erreur de programmation, de réseautage, je ne sais pas trop... Ce dont je suis certain par contre, c'est que je suis un gars, je le *sais*, je n'en doute pas une seule seconde. Et pourtant, je suis pris dans ce corps, ce corps qui n'aurait pas dû être le mien. Je suis transsexuel. FTM. *Female to male.* Si l'on me découpait, on verrait bien que j'ai une âme de gars, peu importe de quoi j'ai l'air à l'extérieur. On dit souvent que l'extérieur ne vaut rien, que c'est l'intérieur qui compte... C'est au plus profond de moi. Je sais qui je suis. Et je sais que mon corps ne *me* correspond pas. Allez essayer de faire comprendre ça à ceux qui pensent que vous êtes fou. Ou en manque d'attention. Ou qui pensent que vous êtes une monstruosité de la nature.

La nature... elle n'a pas fait son travail, c'est aussi simple que ça ! Ce n'est pas ma faute. Si elle l'avait fait, j'aurais le corps de... je ne sais pas, de Dominic ou de Pascal, mes meilleurs amis.

Depuis que j'ai compris que toute la peur et la douleur que j'avais en moi portaient un nom, j'ai décidé de tout faire pour que le gars que je sais être à l'intérieur apparaisse à la surface. Et que, finalement, le miroir reflète la vérité.

10 ans 6 mois

Que feras-tu quand tu seras grande ? Comment te vois-tu plus tard ? Qui veux-tu être ? Je déteste ces questions. Je ne sais pas quoi leur dire, à tous ces adultes. Y a-t-il une réponse parfaite pour les faire taire ? Qui me permettrait de comprendre pourquoi j'ai seulement envie de me rouler en petite boule et de me boucher les oreilles ?

Je connais mon nom, mon âge, je sais que j'ai un frère aîné qui s'appelle Joël, une mère, un père, une grand-mère, un meilleur ami, Pascal. Je sais que j'aime le cinéma, le hip hop, la lasagne. Le reste, je ne le sais pas. Il y a un mystère en moi. Quelque chose qui ne tourne pas rond.

On dirait que c'est pire maintenant, à l'école. On pose plein de questions, on dit plein de mots et moi, j'ai mal. Au ventre, aux os, quelque part dans ce coin-là. C'est peut-être parce que cette année, en cinquième, je ne suis pas avec Pascal en classe. Depuis la maternelle, on a toujours été tous les deux. Pascal est calme, il a cette manie de toujours penser trois secondes de trop avant de rire d'une blague et j'aime ça. Il ne me trouve pas bizarre, lui.

C'est l'automne, mon grand-père vient de mourir, c'est peut-être aussi pour ça que tout me semble plus difficile. J'ai perdu Pascal et j'ai perdu mon grand-père. Je n'arrive pas à approcher les autres élèves de ma classe, ma colère est revenue, comme quand j'étais petit. Petite. Je n'ai pas réussi à la garder en dedans. J'ai essayé, je le jure, c'est juste que... je ne sais pas.

On m'appelle Éloïse, le garçon manqué. Parce que j'aime les trucs de garçon. Je ne devrais pas vouloir jouer avec des dinosaures ou grimper aux arbres. Je devrais mettre des jupes, mais je déteste ça ! Je ne devrais pas essayer de cracher le plus loin possible, je devrais arrêter de jouer dans les circuits électriques de mon camion téléguidé, celui que j'ai acheté dans une vente de garage, avec *mes* sous. Je ne devrais pas vouloir tuer des zombies sur la Wii non plus. Je ne devrais pas vouloir faire pipi debout, aimer Superman et vouloir raser mes cheveux. C'est pour ça qu'on m'appelle le garçon manqué.

Ce ne sont pas des mots que j'aime. Ils me collent à la peau. C'est une espèce de chandail qui gratte. Ça me couvre, mais je sais bien que ce n'est pas ma peau. J'essaie de le retirer et ça ne marche pas... « Éloïse est un garçon manqué, c'est pour ça qu'elle ne joue jamais avec les filles. » Ce n'est pas ma faute si les filles font des trucs que je n'aime pas ! Et je ne veux pas du chandail, je ne l'aime pas non plus, il me fait mal, il est trop petit, ça me serre, je ne respire pas bien. C'est ça qui me met en colère. Je l'ai dit, que je n'étais pas un garçon manqué, mais personne ne m'écoute. Au fond, ce sont juste deux mots, ça ne devrait pas me faire si mal. Je ne suis pas normale.

C'est bientôt l'Action de grâce. Aujourd'hui, la prof, Marie, nous a demandé de faire un dessin de notre famille. C'est mieux qu'une période de français !

Avec mes crayons, je dessine ma mère, mon père, Joël, ma grand-mère. Je trace aussi mon grand-père, je l'aimais trop. Et je me dessine. Avec les cheveux courts, les mêmes vêtements que mon frère. Je me trouve plus beau comme ça. Plus belle, c'est vrai. J'entends le bruit des crayons qui frottent le papier, je me sens bien. J'aime ça, me voir comme Joël. J'aimerais bien lui ressembler. Il a treize ans et demi, sa voix craque, il est grand, il est comme notre père. Oui, je veux être comme eux plus tard.

J'écris les noms sous les personnages de mon dessin quand Marie arrive.

– Je ne savais pas que tu avais des frères jumeaux, dit-elle.

Je souris de toutes mes dents. Elle pense que j'ai dessiné deux garçons.

— C'est moi, que je dis fièrement, pointant le personnage près de mon frère.

— Mais tu as les cheveux longs, Éloïse. Et pourquoi ne pas te dessiner de jolis vêtements ?

— Je veux avoir les cheveux courts.

— Oh, mais pourquoi ? Tu as de si beaux cheveux.

— Pour être...

J'allais dire : pour être comme un vrai garçon. Ça n'arrivera jamais. J'aimerais ça, mais... mais je ne suis pas aveugle, je suis comme les autres filles que j'ai remarquées dans les vestiaires. J'ai vu le pénis de Pascal une fois, quand on se changeait chez lui. Moi, je n'en ai pas.

Je baisse la tête vers mon dessin. Ça y est, j'ai mal. Ça brûle en dedans. Ça brûle partout.

— Pour être... ? répète Marie.

J'ai honte de répondre. Elle va rire, c'est stupide que je pense comme ça. Je suis juste... stupide. Je murmure :

— Pour être un garçon.

Elle sourit et se relève.

— J'espère que tu ne seras jamais un garçon, Éloïse. Tu es beaucoup trop mignonne pour ça.

Je ne me sens vraiment pas bien. Ça monte et ça bout, ça fait toujours ça quand j'ai trop mal. Comme un tambour qui résonne de plus en plus fort. Tout à coup, l'idée que jamais... jamais personne ne me verra comme un garçon me frappe. Je ne veux pas être une fille pour toujours ! Je n'aime pas être une fille. C'est douloureux, être une fille.

J'ai envie de crier, mais je n'arrive même pas à ouvrir la bouche. Crie ! Je veux crier ! Il n'y a rien qui sort. Alors je pleure. Pourquoi je pleure ?

Marie est sortie de la classe avec moi et je me calme peu à peu.

– Qu'est-ce qu'il y a, ma pinotte ? me demande-t-elle, la main dans mes cheveux.

Ne me touche pas ! Je recule. Heureusement, je n'ai pas à répondre, car la cloche sonne. Je cours vers le local de Pascal. Il fronce les sourcils en me voyant.

– T'as pleuré ?

Je fais non de la tête, mais il sait bien que je mens.

Pascal prend ma main et on marche vers le local qui sert de cafétéria. Il me laisse tranquille quand je ne parle pas. Une chance qu'il est là. Quelque chose cloche sérieusement avec moi. Pourquoi j'ai toujours l'impression d'être en train de courir à côté du groupe, mais de ne jamais en faire partie ? Pourquoi je ne me reconnais pas dans les mots qu'on prononce à mon sujet ? Pourquoi j'ai toujours cette pression dans les poumons ?

Le lendemain matin, alors que je viens tout juste de me lever, on cogne à ma porte. Joël entre et me tend un t-shirt.

– Tu le veux ? Il est beaucoup trop petit pour moi.

Pas étonnant, il doit avoir pris trois têtes depuis l'été passé ! Ce n'est sûrement pas juste les légumes, je ne peux pas croire... Il pointe un doigt vers moi.

– À la condition que tu reviennes à la maison toute seule ce soir, sans le dire.

– OK, que je réponds en agrippant le chandail.

– Je pourrais te faire faire tout ce que je veux en te promettant un truc de gars, hein ? me lance Joël en riant. T'es trop prévisible.

Je lui fais une grimace, ce n'est pas drôle. Je n'y peux rien si les seules choses *cool* sont à lui. On m'achète des collants, des robes à fleurs. C'est tellement... pas moi. Ma mère n'écoute pas, alors quand Joël me donne ses vieilles affaires, je les prends, c'est évident.

Je me dépêche de m'habiller. Le chandail est trop grand, mais ce n'est pas grave. Un jour, je vais arrêter d'être si... minus. Je vais avoir des muscles, je vais couper mes cheveux, quand mes parents ne pourront plus me punir. Alors que j'attache ma tignasse en une grosse boule derrière ma tête, j'attrape mon reflet dans la fenêtre de ma chambre. Je me détourne.

À la cuisine, ma mère soupire en m'apercevant et jette un coup d'œil à Joël.

— Arrête de refiler ton vieux linge à ta sœur.

— Mais elle aime ça ! objecte mon frère, la bouche pleine de céréales.

— Peut-être, mais elle a ses propres vêtements.

Je me glisse sur une chaise en plissant le nez. Des papillons, des froufrous et des animaux aux couleurs impossibles... Eurk. Pourquoi prendre la peine de mettre des motifs sur le tissu si c'est pour être si horrible, je me le demande !

— T'aurais pu attendre que personne te voie, me gronde Joël quand notre mère a le dos tourné.

— Ah, Éloïse...

C'est mon père, il vient d'entrer dans la cuisine. Il secoue la tête en me regardant. Il n'aime pas mes vêtements, c'est sûr. Plus le temps passe, moins il m'aime, moi. Il ne me parle plus comme quand j'étais petite, on ne fait plus rien ensemble. Il a toujours les sourcils froncés avec moi, comme si je lui donnais mal à la tête.

– Je vais aller chercher quelques boîtes chez grand-mère, annonce mon père. Pour simplifier les choses avant le déménagement.

Je souris. Mamie Éloïse, la mère de maman, va emménager dans la pièce vide près de ma chambre. Sa maison est trop grande pour elle seule maintenant. J'ai hâte de la voir tous les jours. Elle, elle va aimer mon chandail.

Toute la classe me demande pourquoi j'ai pleuré hier et je ne sais pas quoi répondre. Ce n'était pas une bonne journée. C'était un de ces jours où je voudrais m'arracher la peau, littéralement, pour qu'on trouve, en dessous, pourquoi je tremble de peur parfois, toute seule dans mon lit.

Ma prof a appelé mes parents et a voulu les voir. Ma grand-mère, assise non loin, dans le salon de notre maison, attend avec moi qu'ils reviennent de la rencontre avec Marie. Ils vont encore dire que je ne fais pas les choses comme il faut.

Quand la porte d'entrée s'ouvre, je m'enfonce dans le sofa. Ils sont en colère contre moi, je le vois bien, le vent va souffler fort, il va me faire tomber. Encore.

– C'est quoi, ça ? lance mon père en brandissant mon dessin.

– La famille...

– Pourquoi tu as dessiné papy dessus ?

– Je m'ennuie, c'est tout, que je chuchote.

– On s'ennuie tous, assure ma grand-mère, de sa chaise berçante près de la cuisine.

– Bien sûr qu'il nous manque, mais tu sais qu'il est parti, non ? me demande ma mère.

Je sais. Elle vient s'asseoir près de moi. Je n'ai pas besoin de réconfort, pas de ce genre-là. Il est mal dirigé. Je suis en deuil, comme les grands disent quand quelqu'un meurt, et pas seulement de mon grand-père. Si je n'arrive plus à crier, comment je pourrai faire passer la douleur ? C'est en dedans, on dirait que quelque chose est en train de mourir.

– Pourquoi tu as dit à ton professeur que tu voulais être un garçon ? continue mon père. Je pensais que c'était fini, ces histoires-là.

Je fixe une poussière qui vole dans le halo de la lumière de l'entrée.

– Je voudrais... J'ai l'impression que... que j'en suis un.

J'en ai presque le souffle coupé. On aurait dit la vérité. Pendant une courte seconde, je *sais* que j'ai raison. Et puis, la réalité me rattrape.

– Voyons, ma belle, dit ma mère. C'est correct d'aimer les trucs de garçon, tu sais bien que ton père et moi, ça ne nous dérange pas, hein ?

Je lève les yeux vers mon père. C'est un mensonge. Lui, ça l'embête. Il en a parlé à mon oncle l'autre jour : il a dit que c'était trop. Que j'étais *trop*. *Trop*, c'est pire que *pas assez*.

– Ça ne fait pas de toi un garçon, Éloïse, ajoute ma mère. Tu es ma petite fille quand même.

Les larmes me montent aux yeux.

– Tu comprends la différence ? me questionne mon père. Joël est un garçon, il a un...

Mon père hésite et ma mère enchaîne :

– Un pénis. Et toi, tu n'en as pas. Toi, tu auras des seins, lui, il aura de la barbe. Tu vas pouvoir avoir des bébés dans ton ventre, pas lui.

– Tu comprends ? répète mon père. Ça aiderait si tu arrêtais de te faire des idées comme ça et de toujours en rajouter...

– Voulez-vous bien laisser Éloïse tranquille ? soupire ma grand-mère.

Mes parents se tournent vers elle.

– C'était presque mignon quand elle était petite, maman, mais maintenant, ça devient dérangeant...

— Il faut qu'elle comprenne, continue mon père.

Je le sais, OK ? Je ne suis pas aveugle. Je sais comment je suis fait. Faite.

Ils disent que je devrais voir un psy. Encore. C'est parce que, à l'école, ça ne va pas mieux. Je veux être toute seule, personne ne comprend ça. Même Pascal n'arrête pas de me demander de lui dire ce qui ne va pas. Je ne sais pas quoi répondre. Il mérite une explication et je n'en ai pas.

Cette fois-ci, la psychologue est une femme. La première fois que j'en ai vu un, c'était un homme. J'avais huit ans, il me faisait peur avec son gros corps et ses sourcils froncés. C'est lui qui a dit que j'étais un garçon manqué. *Tomboy*.

Aujourd'hui, la psychologue me tend la main comme si j'étais une grande personne, c'est *cool*.

— Je suis le docteur Michaud, Éloïse. On va discuter toutes les deux, d'accord ?

Je suis incapable de parler. Je n'ai pas les mots. Mon intérieur n'est pas comme une de ces bagues qui dictent les émotions. Rouge pour « amour », vert pour « malaise », bleu pour « colère »... Tout ce que je sais, c'est que je suis différente, que les « elle » me font mal. Avant l'épisode du dessin, je n'avais pas vraiment vu que la douleur, elle ne partait jamais, elle ne faisait que se cacher un peu pour mieux ressortir plus tard. Qui voudrait parler de ça ?

– Tes parents me disent que tu as un peu de difficulté à l'école..., commence la femme. Tu as des amis ?

– Pascal, c'est mon meilleur ami.

– D'autres amis ?

Je fronce les sourcils. Non, pas d'autres amis. Juste Pascal. Je lui suffis, il me suffit. Quand on fait des forts de boue pour ses Tortues Ninja, il n'est pas surpris. Quand j'arrive chez lui avec ma poupée, il n'est pas surpris. Et quand on organise une rébellion avec ses bandits Lego, il n'est pas surpris non plus. Il me fait sentir libre.

– Pascal est le meilleur, que je réponds.

– Comment ça ?

– Il m'écoute et il ne me traite pas en fille.

Je vais voir le docteur Michaud pour la deuxième fois. Elle est gentille, mais elle ne m'écoute pas. Ou c'est moi qui n'arrive pas à bien m'expliquer. En fait, je ne sais pas ce que je dois expliquer, c'est ça le problème. Je lui dis que je ne comprends pas pourquoi ça vibre en dedans, je raconte que je suis en colère, et elle me demande :

– C'est parce que tout le monde te traite de garçon manqué, c'est ça ?

Oui. Non.

– J'aimerais être un garçon pas manqué, que je murmure.

– Une fille, c'est aussi bien qu'un garçon, tu sais.

Je sais. Les filles sont souvent meilleures, je trouve. Plus intelligentes, même. Elles se font moins mal, elles sont... elles. Je ne suis pas comme ça. J'ai l'impression que je ne suis pas une fille. Pas une vraie, en tout cas.

– Tu devrais essayer de te faire des amies. Avec un *e*. Tu verrais que les filles, c'est aussi amusant que ton copain Pascal.

J'essaie. Pas très fort, j'avoue. Cette semaine, j'ai beaucoup parlé avec les filles de ma classe, mais ce n'est pas ça la réponse, j'en suis presque certaine. Je n'ai rien contre les filles, je n'ai jamais rien eu contre les filles. Ni même contre la féminité, j'ai une poupée moi aussi. Mais obtenir leur amitié ne me rendra pas normale, ça tire encore plus, comme si mon dedans se débattait pour sortir dehors.

– Je ne me sens pas comme elles, que je dis à la psychologue au rendez-vous suivant.

– Comment elles se sentent, tu crois ?

– Je sais pas.

– Alors comment tu peux dire que tu ne te sens pas comme elles ?

Aucune réponse à cette question.

La docteure Michaud dit à mes parents que je suis trop anxieuse. Je le savais déjà... Ma tête ne comprend rien, c'est stressant. La psy a conclu : « Ça va lui passer. » C'est une phase. Et puis Papy vient de partir, alors... c'est sûr que je suis traumatisée, c'est ce qu'elle a affirmé. Je ne sais pas... Je préférerais que tout le monde s'éloigne de moi, qu'il ne reste que Pascal et ma grand-mère, parce que, eux, ils m'aiment comme je suis. Est-ce que ça va vraiment arrêter de faire mal un jour ? Quand ?

– Tu vois ? me dit mon père le soir même. Fais un effort et tout ira bien.

J'en fais, des efforts ! Peut-être que... que je n'en fais pas assez. Ça va passer si j'essaie plus, j'en suis certain. Certaine.

10 ans 9 mois

« Ça va lui passer » a dit la psy. J'attends toujours. Une phase... ce n'est pas une explication, on dirait une excuse.

C'est mon corps, le problème. Il est... Il est bizarre, il n'est pas comme je veux. Je pense que j'ai une tête de garçon et un corps de fille. Pourquoi ne vont-ils pas ensemble, hein ? Il y aura toujours une différence, pas vrai ?

Si je regarde les amies de Joël, je peux m'attendre à avoir des hanches et des seins. Je ne veux rien de tout ça, qu'on les donne à quelqu'un d'autre ! Penser que je suis un gars, je ne peux pas, on me dit d'arrêter de faire le bébé, que c'est impossible. Pourtant, quand je songe au futur, je vois un grand homme, avec un complet ou je ne sais pas... avec un visage d'homme... tout d'homme. Mais ce ne sera jamais vrai tout ça, ça va rester dans ma tête. Je commence tout juste à voir à quel point c'est... anormal de se sentir comme ça. C'est comme si je m'étais jetée du haut d'une falaise en pensant avoir des ailes pour voler, mais que je m'étais rendu compte, une fois le sol disparu, que je n'avais jamais eu d'ailes du tout. Je panique.

Qu'est-ce que je vais faire ? J'ai peur. Vraiment, vraiment peur du moment où je vais attraper la maladie de la puberté. Une chance que ma grand-mère vit avec nous maintenant, je me sens bien de la savoir là. Je suis perdue, mais, au moins, je ne la perds pas, elle.

Le dimanche, je prends des cours de hip hop dans cette école près de la boulangerie préférée de ma mère. Le soir après l'école, je vais quelquefois chez Pascal, le samedi aussi. Le reste du temps, je fais mes trucs : je dessine, je parle à Gabriel (c'est la poupée que j'ai eue quand j'étais bébé, je n'arrive pas à m'en débarrasser), j'écoute des films, j'emmerde mon frère. Et je me regarde dans le miroir de la salle de bain. Pas par vanité, juste... juste pour faire entrer dans ma tête l'idée que j'ai un corps de fille qui est là pour rester, que ma tête est stupide. J'espère finir par reconnaître ce que je vois.

J'ai les cheveux longs, sous les épaules. J'ai les yeux bleus, un petit nez, de petites oreilles, de petites lèvres, une petite stature. « Une vraie poupée », disait mon grand-père. Si je rentre à la maison toute sale, les cheveux défaits, la peau égratignée, les vêtements froissés parce que Pascal et moi, on a joué aux archéologues, mes parents disent que je suis leur petit garçon manqué. Mon grand-père, il aurait quand même dit que j'étais une poupée. Je déteste ça.

Je reçois toujours un cadeau pour la semaine de relâche. Cette année, ma grand-mère m'a prise à part et m'a remis une enveloppe. Il y avait quarante dollars dedans.

– C'était toujours ton grand-père qui allait chercher ton cadeau, m'a-t-elle expliqué. Et je me doute que tu ne veux plus de ce qu'il te donnait, pas vrai ?

J'ai acquiescé, un peu gênée. Admettre que les kits pour faire des bijoux et les collants ne sont pas mon style me fait sentir coupable. Je *devrais* aimer ça, non ?

– Achète quelque chose qui te plaît vraiment, d'accord ? Pour toi.

Mon argent de poche et l'enveloppe en main, maman et moi allons dans un gros magasin de sport. Je sais ce que je viens chercher : de nouveaux patins à roues alignées. Avant d'atteindre la bonne rangée, je m'arrête devant les *skateboards*. C'est ça que je veux !

– T'es sûre ? me demande ma mère, hésitante.

– Ça va être *cool* !

J'attrape la planche, la mets par terre, monte dessus. Je n'ai pas beaucoup d'équilibre et j'avance de seulement deux mètres avant de foncer dans un présentoir.

– Tu es trop jeune pour ça, tu vois bien, argumente ma mère.

Comme si des patins à roues alignées étaient tellement plus sécuritaires qu'une planche à roulettes !

J'objecte avec toute la maturité de ma mini voix :

– J'ai presque onze ans quand même !

Ma mère sourit. Je sais, je sais, je n'ai aucun effet... Elle tend la main vers une planche noire avec des motifs ridicules roses et mauves. Eurk.

– C'est ma condition.

– Mais maman !

On s'obstine. Je ne veux pas de trucs compliqués. Noir, vert, jaune, bleu, je m'en fous. Je veux juste aimer ce que j'aime. Finalement, je gagne.

– C'est pour toi ? s'enquiert la caissière en souriant.

J'acquiesce et ma mère ajoute :

– Mon petit gars manqué.

Je baisse la tête vers mes souliers. Ne dis pas ça... Le mot « manqué » ne devrait pas s'appliquer aux personnes. C'est comme si j'étais ratée. Incomplet. Incomplète. Comme si on ne s'était pas appliqué quand on m'a fabriquée.

C'est peut-être vrai, au fond. C'est sûrement vrai.

Mamie s'en va. C'est ce que j'ai entendu ma mère affirmer. Il y a tout juste quatre mois qu'elle est dans notre maison et elle va bientôt partir, comme papy. Ils disent qu'elle est fatiguée, que mon grand-père lui manque trop. J'ai essayé d'être fort... Forte. Mais je suis trop mélangée, trop perdue, je ne peux pas lui enlever sa fatigue.

On a une connexion, elle et moi ; c'est peut-être parce qu'on a le même prénom. Elle a des mots que j'aime. Elle ne m'appelle jamais « ma belle, ma douce, ma petite fille », elle dit « mon enfant, mon chou » ou elle dit souvent « qu'est-ce que t'en penses, toi ? » au lieu de « qu'est-ce que t'en penses, ma jolie ? ». Ça fait toute la différence pour moi. Je pense qu'elle sait que j'ai mal.

C'est avec elle que j'ai appris à lire... *Le Chat botté*, *Le Petit Poucet*, *Alice au pays des merveilles*... J'adore Alice. Elle se transforme, elle grandit et rapetisse, son corps change, mais elle est toujours elle-même au fond. Dans l'histoire, il y a tous ces personnages qui lui demandent : « Qui es-tu ? » Elle non plus ne le sait pas.

Mamie est toujours au lit et je lui lis le journal du dimanche. Elle m'arrête en mettant la main sur mon bras.

– Tu veux que je change de page ? que je lui demande.

– Je veux que tu continues, me répond-elle.

Je reprends ma lecture.

– Pas ça, m'interrompt-elle.

Lentement, elle se redresse sur ses oreillers et je me recule un tout petit peu pour qu'elle ait de l'espace. Elle porte sa chemise de nuit verte, celle que je lui ai donnée pour Noël. Elle me regarde un long moment avant de parler.

– Est-ce que tu vas bien ?

Il y a quelque chose dans ses yeux. On dirait que sa question est plus qu'une simple question, comme si ma réponse devait vraiment compter. Plus de « je ne sais pas » comme avec les psys, plus de « j'évite de parler de ce que je ressens » comme avec mes parents. Je fais non de la tête et elle poursuit :

– Tu ne ressembles à aucun autre enfant que j'ai connu, tu sais ça ?

Elle a dit ça gentiment, mais ses paroles me font vraiment mal : de tous les enfants qu'elle a côtoyés pendant soixante et onze longues années... je suis le seul... la seule... qui soit si... étrange ?

– C'est mal d'être différent ? que je la questionne.

J'ai une immense boule dans la gorge. Les yeux pleins d'eau, la peur au ventre. J'ai peur d'être détestée pour quelque chose que je ne comprends même pas.

– Tu es mon petit-enfant préféré, si tu veux tout savoir. Mais ne le dis pas à Joël.

Je souris malgré ma peine. Ma grand-mère replace ses coussins.

– Continue, n'arrête jamais d'être comme tu es, d'accord ?

– Papa dit qu'il faut que je change.

– N'écoute pas ton père, m'ordonne-t-elle en riant. Ni ta mère. Ni même ton frère. Ni même moi. Tu es unique, tu fais ce que tu sens être le mieux... Maintenant, lis, s'il te plaît.

Je lis.

Mamie est morte, hier. Un matin, la fatigue a gagné et moi, je me retrouve toute seule. J'ai mal au ventre et à la bouche parce que je pleure trop, ma gorge brûle. Même si elle n'a jamais dit les mots et qu'elle n'a pas donné de réponse, je suis sûr... sûre qu'elle avait compris comment je me sens. J'ai perdu une alliée.

11 ans 3 mois

L'été, Pascal va aux États-Unis avec ses parents pendant trois semaines. Au Michigan, comme les hot dogs. Cette année, je dois aller au camp de jour toute seule ; avant, mamie me gardait. Je ne suis pas sûre d'aimer ça. On va toujours à la piscine et je dois mettre un bikini. Je voudrais tellement avoir seulement des shorts ! Je regarde les autres garçons à la piscine et je trouve ça injuste. Pourquoi eux, ils n'ont qu'une pièce de maillot, alors que moi, j'en ai deux ? Maman dit qu'il faut que je cache ma poitrine. Je n'en ai pas, je n'en veux pas. Qu'est-ce que je vais faire quand ça va grossir ?

Le mois passé, en *skate*, je me suis cassé le poignet, j'ai un plâtre. Ça me sauve de la piscine ! Je me suis aussi fait une amie au camp : Carolanne. Je vais chez elle, on joue avec ses figurines, avec Gabriel. Même si Pascal est revenu, je la vois encore. On s'entend bien.

J'aime bien passer mes dimanches chez elle, elle a deux frères qui me font rire. Aujourd'hui, j'ai emporté Gabriel.

– Pourquoi il est tout barbouillé, ton bébé ? me demande Carolanne.

Gabriel... Je l'ai eu à Noël, quand j'avais deux ans et demi. J'ai pris un crayon noir indélébile pour lui barbouiller l'entrejambe. Je ne crois pas que je pouvais supporter la vue de son sexe de fille, alors que c'était mon ami. Avec un *i*. Je mens :

– C'est mon frère qui a fait ça.

– C'est stupide, les garçons.

Je ne suis pas d'accord, mais je ne dis rien. Je les trouve *cool*, les garçons, je les trouve beaux, je veux être avec eux.

Finalement, sans Pascal, je peux avoir des amis. Surtout des *amies*. Bon, ce sont les amies de Carolanne, je n'ai jamais été douée pour faire confiance aux gens. Avoir des amies avec un *e* semble être tout ce que les gens attendent de moi. C'est sûrement tout ce que mon père veut quand il me dit : « Fais un effort. »

L'école vient de recommencer. Sixième année. Je déteste le temps qui avance. Plus je vieillis, plus je m'approche des seins et de tout le reste. Est-ce qu'on peut rester petit pour toujours ? Parce que quand on vieillit, les gens attendent des trucs de nous, je le vois bien. « Sois plus féminine. Responsable, blablabla. » Je n'en ai pas envie. Elle sera où, ma place, dans tout ça ? Je vais être une madame et cette idée me donne envie de pleurer.

Selon la psy, ces sentiments devraient partir. Mais c'est faux. Il n'y a rien qui passe...

J'ai fait un choix après avoir passé la moitié de l'été avec Pascal et l'autre moitié avec Carolanne : je vais vraiment essayer. D'être une bonne fille. Peut-être que, comme ça, avoir des seins, des hanches et des règles, ça ne me donnera plus des cauchemars. Je n'ai plus trois ans, faut que ça arrête ! Depuis que je suis petit... petite..., j'ai la tête pleine d'idées, de trucs bizarres. Rien de tout ça ne se peut, rien de tout ça n'est réel. Je suis une fille. Ce n'est pas parce que ça tire en dedans quand j'y pense que ce n'est pas la vérité. Je la prends, ma douche, hein ! Je sais ce qu'il y a là, entre mes jambes.

Mon malaise va partir, je vais en rire plus tard. Je ne suis pas un garçon. J'en ai assez d'être différente... Je suis trop mal à l'aise, tout le temps. Je dois changer.

J'ai rangé mon *skate* et j'ai refusé quand ma mère a voulu me réinscrire au hip hop. Je regrette, j'ai encore envie de... Non, je n'ai pas envie. On m'a dit que c'était bizarre et que ça ne faisait pas fille, le hip hop. Hier, j'ai laissé Carolanne me mettre du vernis sur les ongles parce que « c'est tellement plus joli... » qu'elle a dit. Quand je vais chez Pascal, je ne veux pas m'intéresser à ses jeux vidéo et à ses trucs de construction. Ça ne fait pas fille. Je voudrais jouer avec lui, mais c'est fini tout ça.

Novembre. C'est le mariage de mon cousin Sébastien. Ma mère m'a forcée à mettre une robe. Pour la première fois de ma vie, j'ai dit oui à une robe sans déclencher une guerre. C'est un truc beige avec des fleurs. Je l'ai enfilée en silence, elle m'a coiffée, a mis des fleurs dans mes cheveux. Des fausses, évidemment. Tout est faux. On prend des photos, mais je ne veux pas les voir. Je me sens plus déguisée aujourd'hui que je l'étais la semaine passée à l'Halloween.

Je laisse échapper un petit rire de dérision et mon frère, assis sur le siège avant de la voiture, me jette un coup d'œil dans le rétroviseur :

— Tu ris de moi ?

— Mais non..., répond ma mère à ma place.

Je regarde par la vitre, fixe les lignes jaunes qui séparent les voies. Ligne. Pas de ligne. Ligne. Pas de ligne. Comme un battement de cœur ou je ne sais trop. J'appuie ma tête sur le verre, c'est froid. Ligne plate...

— Éloïse, arrête de te mordre la lèvre, tu vas enlever ton *gloss*.

J'arrête. J'entends mon père soupirer. La main de ma mère repousse la mienne qui était sur mon avant-bras.

– Pourquoi tu fais ça ? marmonne-t-elle. Arrête de te gratter, s'il te plaît.

Ça, je ne peux pas. Ça fait trop de bien.

Le soir, quand on revient à la maison, je cours aux toilettes, ferme la porte. Quand je m'essuie, je regarde le papier. Rien. Un jour, ça va être rouge. Rouge sang. Je laisse tomber le papier entre mes jambes, me lave les mains et monte à ma chambre en me massant la cage thoracique avec la paume. Ça fait toujours ça quand j'y pense. Il y a quelqu'un qui serre mon cœur en dedans.

J'entends Joël qui parle au téléphone dans la pièce d'à côté. Je serre les poings ; j'ai envie de frapper sur le mur. Je l'ai regardé toute la journée. Il est beau, Joël, avec son complet noir et sa cravate bleue. Je suis jaloux... Jalouse. C'est vraiment injuste.

Je vois à peine le mauve de mon mur, mes yeux sont trop pleins de larmes. Et ça coule. Je me frotte les paupières, on dirait qu'il y a une rivière en moi, ça n'arrête pas de couler. Et ça fait mal, ça pince, ça tire et ça brûle. Il y a deux mois que je me suis dit que j'allais faire un vrai effort, et pourquoi ? Pour que ça fasse encore plus mal ? Qu'est-ce qu'il faut que je fasse pour être bien, je ne comprends pas ! Je l'ai mise, la maudite robe ! Faut que je fasse quoi d'autre ?

Quand j'éloigne mes doigts de mes yeux, je vois du maquillage sur mes mains. C'est dégueu, je déteste ça ! Je frotte davantage et je pleure encore, je n'y peux rien. Je suis un paquet de mousseline qui braille sur le plancher.

Je sursaute quand j'entends Joël.

– Qu'est-ce que t'as ? me demande-t-il.

Il est dans le cadre de ma porte, je ne l'ai pas entendu l'ouvrir. Il fait un pas dans la pièce et s'apprête à dire quelque chose.

– Chut !

Il ne faut pas qu'il appelle les parents ; je ne veux pas qu'ils sachent que j'ai pleuré. Ils vont demander pourquoi et si je dis que j'ai peur d'être une fille, on va me dire de mûrir.

Je me relève, baisse les yeux vers ma robe.

– Aide-moi à l'enlever, s'il te plaît.

Je tire sur le collet. Joël cherche la fermeture éclair. Je tire à nouveau.

– Allez...

– Elle s'attache où ? Je connais rien aux robes, moi !

Les joues rouges, les yeux pleins d'eau, je tourne sur moi-même, comme si ça allait faire apparaître l'ouverture. Je commence à paniquer. Et si je reste dans cette robe pour toujours ?

– Arrête de grouiller, Élo !

Il lève mon bras, voit la fermeture et la descend. Beaucoup trop lentement à mon goût. Je remonte mon coude, je suis coincée.

– Joël !

– Relaxe, voyons !

Quand je réussis finalement à l'enlever, je la lance sur mon lit avant de m'approcher et de la pousser sur le sol, où je ne peux plus la voir.

– Wow. T'aimes vraiment pas les robes, hein ?

Joël me regarde, à deux doigts d'éclater de rire. Et je suis là, dans mes sous-vêtements, à bout de souffle. Et il est là, en boxer, torse nu. Il n'a pas peur. Ce n'est pas juste !

– Va-t'en ! que je crie à mon frère. Va-t'en !

Je le pousse hors de ma chambre, claque la porte. Résiste de justesse à l'envie de donner un coup dedans.

– Compte plus sur moi pour t'aider ! lance Joël de l'autre côté du panneau. Espèce de folle !

– C'est quoi, le problème ? s'énerve ma mère.

– C'est Éloïse. Elle est en plein SPM.

– Qu'est-ce que t'as fait ? lui demande mon père du rez-de-chaussée.

– Mais rien du tout ! objecte mon frère.

Je l'entends claquer sa porte à son tour et la maison redevient silencieuse. Mais mon cœur bat toujours aussi vite.

Dans ma chambre, je n'ai pas de miroir. Il y a une fenêtre qui donne sur le mur de la maison des voisins et j'y vois mon reflet. Rapidement, j'enlève l'espèce de soutien-gorge que ma mère a voulu m'acheter. C'est ridicule, ce truc-là... Hésitante, je tire sur ma culotte, regarde en bas. Je ne veux pas de ça, ce n'est pas à moi. Qui a décidé que j'étais une fille ? Qui ? Parce qu'il faut qu'il m'explique comment je dois faire.

Je me regarde de nouveau. Je vois mes yeux rouges et les traces foncées sur mes joues. Je suis laid. Laide.

Je me couche finalement sous les draps en me massant la poitrine. Il faut que j'apprenne à ne plus pleurer comme ça, c'est douloureux. Je me frotte les mains et les laisse ainsi, comme pour une prière. J'ai souvent souhaité me réveiller en vrai garçon quand j'étais plus jeune, mais je n'ai jamais dit les mots. C'est un miracle dont j'ai besoin. Si ça existe, j'en veux un. Je n'ai pas choisi de me sentir comme ça, il faut que quelqu'un m'arrange. Je murmure :

– S'il vous plaît, faites que je n'aie jamais ma puberté. Je ne veux pas de seins, je ne veux pas saigner, je ne veux pas de bébés dans mon ventre. Je veux... Je veux un pénis et un corps comme les autres gars. Je ne veux plus avoir peur.

Quand je me réveille le lendemain matin, ma main glisse vers mon entrejambe et... rien. Pas de pénis et toujours un océan de peur. J'ai l'impression de peser des tonnes, seule dans mon lit. Qu'est-ce que j'avais cru ? Que quelqu'un, quelque part, allait me confirmer que je n'étais pas seulement une débile ?

Il n'y a rien qui change. Noël arrive et c'est toujours si compliqué dans ma tête. Je vais à l'école, écoute sagement. Vois Pascal, mais plus autant qu'avant. Vois Carolanne et quelques autres filles aussi. Je joue avec leurs affaires, parle des mêmes trucs qu'elles. C'est parfois plaisant, je m'amuse. Des fois, tout va bien ; on dirait que j'oublie. Puis je croise mon reflet dans une vitrine et, ensuite, tout va mal.

La danse me manque, mon amitié presque fusionnelle avec Pascal me manque, mon *skate* me manque. Je me manque. Les miroirs sont devenus ma bête noire. Toujours pâle, les cheveux longs, avec des trucs un peu plus serrés, les ongles roses, j'ai l'air très féminine. Mais ça ne marche pas. On dirait que quelqu'un, en dedans de moi, me cogne dans la tête et me dit que ça ne sert à rien, tous ces efforts. Mais je suis quoi, alors ? Comme qui ?

J'ai l'impression que la réponse, c'est : « Tu es comme personne. » Je ne veux pas être toute seule. Pascal sait que je ne me sens pas bien, mais je n'arrive pas à l'expliquer. Alors je fais comme si rien ne clochait. Je ne sais pas quoi faire d'autre.

Mais tout cloche. Dans ma tête, c'est comme si des dizaines d'ongles pointus grattaient un tableau noir. Peut-être que c'est mon âme qui crie. Je suis tannée de trop penser. Je ne suis pas censée m'amuser et ne pas réfléchir ? Ce n'est pas ce qu'ils font, les autres enfants ? Les adultes disent : « Attends d'avoir notre âge ! Là, la vie sera dure. »

Je n'ai pas envie de me rendre jusque-là.

C'est le printemps et je ne renais pas. J'ai toujours un goût amer dans la bouche. Je sais pourquoi : c'est parce que tout le monde est content et pas moi. Ma mère adore Carolanne, mon père me sourit. Et moi, j'attends juste qu'ils me disent que c'est assez, que j'ai fait assez d'efforts, que je peux arrêter. Je suis fatiguée.

Moi, Éloïse, l'extraterrestre qui n'a sa place nulle part, qui est trop idiote pour être une bonne fille. Ça me fait tellement de peine, j'ai l'impression que je n'y arriverai jamais.

Quand je me sens trop anxieuse, je me gratte. Très fort, sur l'avant-bras gauche. On dirait que je me suis battue avec un chat et que j'ai lamentablement perdu. Je gratte, je gratte et ça brûle. Ça me soulage vraiment. Des fois, ça saigne, mais ce n'est pas grave. Des fois, je ne fais qu'appuyer sur ma peau, par-dessus mes vêtements, juste pour sentir ce pince-ment. Ça me calme.

Ma mère pense que je fais une réaction allergique à quelque chose, elle m'a mis de la calamine, des onguents.

— Arrête de te gratter ! crie toujours mon père. C'est pas compliqué !

— Je pense que je vais l'emmener voir un allergologue..., décide ma mère, à court de solutions.

Mon rendez-vous est en août, on est seulement en mai. Elle continue les traitements de crèmes et autres trucs qui puent et dont les noms m'échappent. Ça change rien, je pense qu'on ne peut pas me guérir.

Juin, j'ai eu douze ans. Pour ma fête, Pascal m'a offert un kit de sciences. On a fait les expériences dans sa cuisine, ç'a fait plein de dégâts, mais c'était tellement le *fun* ! De ma famille, j'ai reçu un forfait pour un salon de beauté et une carte-cadeau pour aller chez Ardène. Ça m'a fait pleurer le soir, quand j'ai été toute seule. Il n'y a que Pascal qui me comprenne, je pense.

— Tu es tellement différente, Éloïse, me dit Pascal un matin.

J'ai dormi chez lui hier, il part bientôt pour le Michigan.

– J'ai pas changé.

– Carolanne t'a changée, je trouve.

Ce n'est pas vrai. Je n'ai pas le choix d'être comme ça, ce n'est plus comme avant.

– T'es jaloux ou quoi ?

– Arrête de niaiser.

– Tu me trouvais drôle avant, que je marmonne.

– Avant, t'essayais pas de prouver quelque chose.

Je reste silencieuse. Il a toujours été plus contemplatif que moi, plus sérieux. Je suis celle qui fait des blagues, il est celui qui les rit. Il continue :

– Avant, tu riais, tu me parlais. Maintenant, c'est comme si t'avais un bâton dans le derrière. Tu n'aimes plus rien, on dirait.

Je chuchote :

– C'est pas vrai...

Mais c'est vrai. Je n'existe qu'à moitié. On dirait qu'il y a cette partie de moi qui n'en fait qu'à sa tête. Comme si... Oui, comme s'il y avait quelqu'un d'autre en dedans. C'est peut-être ça, au fond. Si j'écoute bien, je peux presque l'entendre rire. Il y a quelqu'un à l'intérieur et je dois le pousser, l'écraser. Je dois lui mettre une enclume dessus en espérant qu'il meure d'asphyxie. Après, ça va bien aller. C'est vraiment dur d'être normale quand il y a quelqu'un d'autre qui t'embête sous ta propre peau.

Je ne me sens pas totalement bien avec Pascal parce que je sais que je ne suis pas comme lui physiquement, et je ne me sens pas totalement bien avec Carolanne parce que je sais que je ne suis pas comme elle dans ma tête. Elle est où, ma place ? Je n'ai pas de réponse et c'est ça qui fait le plus mal. Parce que je ne sais pas quand ça va arrêter. Est-ce qu'il faudra que j'arrête tout ça moi-même ? Je suis fatigué. Fatiguée.

12 ans 2 mois

Ma mère m'a dit de me dépêcher de prendre mon bain parce qu'on va à La Ronde avec Carolanne. On prendra la voiture de la maison jusqu'au métro Longueuil et puis, on ira en métro et en autobus. Ce soir, on va manger au McDonald's, près du manège des montgolfières.

Je déteste prendre des bains, alors j'ai pris une douche. Courte, le plus vite possible. Peut-être que c'est parce que mon père ne me serre jamais dans ses bras et que ma mère le fait un peu trop souvent que je n'aime pas qu'on me touche. Même mes mains à moi me rendent mal à l'aise. C'est comme si je touchais quelqu'un d'autre.

Je démêle mes cheveux. Mon père ne veut pas que je les coupe. Quand j'étais plus jeune, ma mère voulait me faire percer les oreilles et j'ai dit qu'on devait couper mes cheveux en échange. Je me suis battue, ils se sont battus, on n'a rien fait.

Mes yeux attrapent un corps dans le miroir et je me fige. De côté, je les vois. Mes seins, ils vont arriver, ce ne sera pas long. Mes mamelons font des bosses. Je presse dessus avec mon index et mon majeur.

– Ow...

Est-ce que c'est parce que c'est moi que ça fait mal ou toutes les filles ont mal ? *Ça* commence. Je ne peux rien faire pour l'en empêcher, mon corps n'écoute pas. Je me regarde en face. Plus je suis triste, plus mes yeux sont pâles, c'est ce que ma grand-mère disait. Je vois à peine mes iris bleus aujourd'hui. Je ne veux pas...

– Éloïse ! crie ma mère. T'es prête ?

Rapidement, j'enfile mes culottes et mes shorts. J'hésite une seconde. Pas question que je porte un soutien-gorge avant d'y être obligée. Le plus tard possible. Jamais.

Habillée, je dévale les marches, saute par-dessus la rampe d'escalier.

– Lili, je t'ai déjà dit de pas faire ça, soupire ma mère. Viens, on va être en retard pour prendre Carolanne.

On revient tard ; c'était une bonne journée. Je n'ai pas trop pensé, je me suis juste amusée. Nous sommes assises sur l'un des petits bancs de la station de métro, en attente. Une femme vient prendre place non loin. Carolanne me donne un coup dans les côtes.

— T'as vu ?

J'ai vu quoi ? Une femme en jupe avec des sandales, un chandail à manches courtes, des cheveux longs, un sac à main. Rien d'extravagant. Pourtant, il y a quelque chose... Je sens quelque chose. Pas avec mon nez. Avec... mon instinct ou un truc comme ça.

— Les filles, on ne dévisage pas les gens, nous gronde ma mère.

— Oui, mais c'est un gars ! lance Carolanne avec des airs de conspiratrice.

Je regarde la femme de nouveau. Ce n'est pas un homme, elle porte une jupe ! À moins que... Elle n'est absolument pas comme les gens qu'on voit souvent à la télé, durant la parade de la Fierté Gaie, l'été, avec les brillants et les gros maquillages. Elle est juste... femme. Est-ce que c'est une pomme d'Adam qu'elle a ? C'est sûr, elle a une carrure un peu plus masculine, mais sans pour autant avoir l'air de mesurer six pieds ni de jouer pour les Alouettes de Montréal. Je ne comprends pas. Elle avait la chance d'être un gars, elle. Pourquoi changer ? Je me gratte le bras, pensive.

— Éloïse, arrête ça ! me somme ma mère.

La femme lève la tête de son livre. Elle me regarde pendant un moment. Et, peut-être que j'hallucine,

51

mais on dirait... Elle me sourit, non ? Un petit sourire. Timide. Je pense que je voudrais être elle. Comme ça, je pourrais être un gars. Je couperais mes cheveux, regarderais mon corps sans m'arrêter, serais fier. Fier d'être moi.

La femme se lève, marche vers l'autre extrémité de la station alors que le bruit du métro commence à se faire entendre.

– Il était bizarre, dit mon amie une fois dans le wagon.

– Il y a des gens comme ça, répond ma mère.

– Des gens comment ?

Je ne veux pas savoir la réponse. J'ai *besoin* de la réponse.

– Des travestis. Des gens qui pensent ne pas avoir le bon sexe, des transsexuels. Comme cet homme-là. Il voulait sûrement être une femme alors il s'habille comme nous. Allons, changeons de sujet. Vous avez aimé votre journée ?

Je ne réponds rien. On dirait que le vent s'est levé, mais ça, c'est sûr que c'est dans ma tête. Mon cœur bat comme un fou. Ma mère a dit exactement les mots que je n'arrive pas à prononcer : « des gens qui pensent ne pas avoir le bon sexe... » Sa phrase résonne tellement fort en moi que je suis étonnée de ne pas trembler sous la secousse.

À la maison, je me couche, mais je n'arrive pas à m'endormir. J'ai l'impression de flotter au-dessus d'un grand trou, comme si les mots de ma mère l'avaient ouvert sous moi. J'ai peur de regarder en bas, j'ai peur de ce que je pourrais y voir. Est-ce que c'est ça, mon problème ? Je n'ai pas le bon sexe ? Il y a longtemps que je le pense, mais est-ce que ça peut être vrai ? Vrai de vrai ? Ça peut exister hors de ma tête ?

Je regarde mon plafond. Que ce soit possible ou pas, ce n'est pas important. La femme dans le métro... Le gars déguisé... c'est un *freak*. Il peut bien s'habiller comme il veut, ça ne change pas le fait qu'il soit un garçon. La preuve : ma mère a dit « il » ! Je ne veux pas être un *weirdo* comme lui. Pas question !

Les semaines passent... Ça ne se peut pas. C'est pour ça que je n'ai rien dit à Pascal. Parce que je ne veux pas qu'il ait honte de moi, honte de savoir que je me reconnais un peu dans les mots que ma mère a utilisés. Pourtant, depuis, je repense à avant et ça vibre à l'intérieur. On dirait que la personne qu'il y a en moi me crie : « Tu brûles, tu brûles ! »

C'est mal fait en bas. C'est toujours ce que je dis. C'est bizarre en bas. Il me manque un morceau en bas.

— Mais non, me dit-on, tu es parfaite telle que tu es.

Mais je ne suis pas parfait, je suis mal fait. Je sais que je ne suis pas bien assemblé, je le sais. On ne m'écoute pas, ils ne parlent que de notre voyage...

Papa et maman ont dit qu'ils avaient attendu que je sois assez grand pour aller à Disney. Pour que je me rappelle. Quatre ans, c'est assez vieux. Ils ont eu raison, je vais toujours m'en souvenir. Surtout l'antre de Superman et les manèges de Spiderman.

C'est décidé, quand je vais être plus grand encore, je vais être un super-héros. Mais je n'aurai pas de cape ; on dirait une robe !

— Tu vas peut-être sauver le monde, ma chouette, m'explique ma mère, mais tu n'es pas un garçon. Tu seras donc une super-héroïne.

Quoi ? Moi, pas un garçon ? Ah, elle est bonne ! Elle a tort. Ce n'est pas parce qu'on me donne des trucs roses que je suis rose. Moi, je suis bleu. Je sais qui je suis.

— Allez, Lili, viens manger.

Je ne réponds pas, j'attends.

— Jack, se corrige ma mère, un sourire dans la voix. Viens manger.

J'aime quand on m'appelle Jack. C'est moi qui l'ai demandé. Comme Jack Frost. On ne le voit pas, mais il est toujours là. Et puis un jour, on le voit.

Mes grands-parents sourient, ils trouvent ça adorable, je pense. Mon père pense que c'est stupide. Après avoir essuyé quelques colères de sa part, je n'essaie plus avec lui. Il peut m'appeler Éloïse. Au moins, ma mère joue le jeu.

– C'est mignon, dit-elle à papa. Elle aime beaucoup Joël, c'est pour ça.

Mais ce n'est pas pour ça. J'aime mamie, mais mon nom... ç'aurait dû être un nom de garçon. C'est ce que la voix en dedans de moi me souffle. Que je suis un garçon. Comme Joël. Et la voix, elle me rend heureux. C'est simple, non ?

Quand on prétend que je suis une fille, je reprends les gens des fois :

– Moi, c'est « il ». Éloïse-Il.

Autour de moi, on secoue la tête. Mes paroles ont autant d'importance que la huit cent quarante-sixième goutte de pluie qui va tomber durant une averse. C'est beaucoup huit cent quarante-six. Mes mots sont perdus parmi tous les mots qu'on prononce sans penser. Les gens, maman et les autres, ils ne me voient pas bien. Mais qu'ils attendent que je grandisse !

12 ans 3 mois

Mes amis et moi, on quitte le primaire. Collège privé pour Carolanne et moi, et école publique pour Pascal.

Je panique. Je ne vais même plus voir Pascal, le midi ! Il va être si loin... J'ai peur qu'il se fasse tellement d'amis au secondaire qu'il se rende finalement compte que je suis trop malade mentale et me laisse tomber. J'ai besoin de me sentir comprise et il est le seul qui me laisse une chance. Je ne veux pas aller dans un collège privé toute seule !

– Ton frère va y être, voyons, tente de me rassurer mon père. Juste un an, mais quand même...

– Mais... et s'ils ne me comprennent pas ?

– Comprendre quoi ? me demande ma mère, tendant la main vers mes mèches châtaines.

– Comment je suis... en dedans.

Différent. Garçon. Non, pas garçon !

– Si tu faisais un effort pour être comme tout le monde, aussi...

J'aimerais bien, mais... J'ai l'impression que c'est trop dur, trop compliqué. Il faudrait que j'arrête de penser à cette femme-homme dans le métro, il faut juste que j'essaie encore.

C'est difficile, le secondaire. On dirait que les gens attendent encore plus de choses de nous. Ça me rend plus nerveuse et je gratte. Ma mère m'a emmenée chez l'allergologue.

Il dit que c'est seulement du stress.

– Stressée ? lance mon père, sarcastique. Mais de quoi elle peut bien être stressée ? Elle a douze ans ! Imagine quand elle va être adulte !

– Éloïse bouge tout le temps, répond ma mère. C'est sûrement juste ça. Il faut qu'elle ralentisse.

– C'est une petite nature, tu veux dire.

– Parle pas si fort, elle va t'entendre.

Petite nature ? Moi ? Je suis dans ma chambre, assise par terre, le dos contre la porte et j'écoute leur conversation qui se passe deux pièces plus loin. Mon père n'est jamais content ! Je suis trop *tough*, il veut que je porte des robes et ne dise jamais rien. Je fais exactement ça et il trouve que je suis faible. Jamais rien ne lui fera plaisir, peu importe la manière dont je vais agir. Je ne serai jamais à la hauteur.

Je me lève, me déshabille et me place devant ma fenêtre. Je me regarde longuement. J'ai les bras maigres, des marques rouges sur l'avant-bras gauche, des jambes correctes. Je passe ma main sur ma poitrine. Ça continue. De petits renflements. Les larmes me montent aux yeux, mais je les retiens. Je le savais, il est comme ça, mon corps. Défaillant.

Mon regard descend vers mon ventre, près de mon entrejambe. Je vois ce qu'il y a là. De côté, je vois la courbe de mon dos, mes fesses. C'est différent de Pascal, je ne saurais pas expliquer en quoi, mais ce l'est. De retour face à la vitre, j'écarte les jambes pendant une seconde avant de me détourner. Ce n'est pas mon corps. C'est mon corps.

Je ne sais pas trop comment appeler cette espèce de rage qui monte. Rage contre moi-même, rage contre les choses, rage contre les autres. C'est comme quand j'étais plus jeune et que je criais. Je me reconnais et je ne me reconnais pas tout à la fois. Il y a ce décalage entre la réalité et ce qui *aurait dû* être moi. Le frottement entre les deux brûle. On dit que le temps arrange les choses, mais moi... quand est-ce que je vais être arrangée ?

Dans mon lit, la nuit, après avoir pris conscience encore une fois que j'ai un vagin à un endroit où tous les gars normaux ont un pénis, que mes seins commencent à grossir tranquillement, je me sens tellement mal et j'ai tellement peur que, même si je veux arrêter mes larmes, ça ne marche pas. Je me tourne sur le ventre, la tête dans l'oreiller. Personne ne doit m'entendre. Et je gratte. Je descends mes ongles sur ma peau, j'appuie. Au moins, comme ça, je respire un peu mieux. Je voudrais que ma peau se déchire pour que tout le monde voie en dedans... comprenne comment je suis... Replace les fils, le truc qui cloche, pour qu'enfin je puisse penser « oui, je suis une fille » sans avoir l'impression de mentir.

Le lendemain matin, il y a du sang sur ma couverture. Ma peau est un peu collée, ça tire. Je reste étendue et je la laisse entrer, la douleur. Au moins, je contrôle quelque chose.

Plus tard, dans la salle de bain, je tente de me laver. Je déteste de plus en plus me toucher. Je prends la grosse éponge de ma mère, je ne sens pas les courbes comme ça. Quand j'arrive à l'entrejambe, je ferme les yeux et je fais vite.

Sur le côté du lavabo, il y a un petit emballage : ciseaux, coupe-ongles, pince à épiler. Dans ma main, les ciseaux ont l'air d'une arme. Peut-être parce que je sais que je ne devrais pas y toucher, parce que ma tête ne va pas droit. Je prends une mèche de cheveux entre mes doigts, approche les lames. J'ai envie de couper ! Tout enlever, qu'il n'y ait plus rien. Alors, peut-être que je me reconnaîtrais.

Je soupire. Non, mes parents me feraient voir un autre psy. Ils vont encore dire que ça va passer, que je suis une *tomboy*, que je ne fais pas assez d'efforts.

Je lève les yeux vers mon reflet. Je suis floue à cause de la buée, comme un fantôme. Je murmure à mon visage :

— Je suis tannée. T'es pas tanné ?

Je ne me réponds pas. Qu'est-ce que je pensais ? Que la personne en dedans, celle qui pousse et qui crie pour sortir, celle que je suis la seule à voir et à entendre, allait me répondre ?

— *Oui, j'en ai assez. Aide-moi.*

Je regarde l'instrument dans ma main, la serviette bleue que j'ai autour du torse. Est-ce que je pourrais crever mon cœur avec ces ciseaux ? Mourir comme ça, d'un seul coup ?

Je les baisse. Je suis tentée et ça me fait peur. J'entends quelqu'un marcher dans le corridor, devant la porte fermée de la salle de bain, et je me redresse, évite mon propre regard. Mon bras droit est rouge, je gratte encore. Rapidement, j'appuie les ciseaux sur ma peau. Ça coupe, ça brûle beaucoup plus, ça soulage tellement !

— Élo ? lance la voix de Joël de l'autre côté du battant. T'as fini ? C'est long !

— Je... j'ai fini !

– Tu pleures ?

J'hésite. Mon bras saigne, mais je ne pleure pas. Pas vraiment. Je rince les ciseaux rapidement, les glisse dans l'étui.

– Une seconde.

– Grouille, j'ai envie !

– Il y a deux autres toilettes, si c'est trop urgent !

Il ne répond pas et frappe contre la porte. Je prends des diachylons dans la pharmacie. Trois sont suffisants pour couvrir la coupure.

Quand je sors de la salle de bain, Joël me bouscule pour entrer et je cours à ma chambre. Je ne peux pas croire que j'ai fait ça... Pourtant, je me retrouve, dans le noir, à appuyer sur ma peau pour sentir la douleur.

Est-ce qu'il y a un moment où ma tête en aura assez et abandonnera ? Où je ne serai plus capable de regarder mon corps, de vivre dedans ? Je ne veux pas qu'on pense que je suis fou. Folle. Je ne veux pas mourir. Je ne sais pas ce que je veux.

Je reprendrais bien les ciseaux, je pense.

12 ans 8 mois

Un après-midi, à l'école, alors que tout le monde écoute un film, je regarde les garçons dans le coin gauche de la classe. Ils blaguent à voix basse. Les filles s'échangent des petits papiers en chuchotant. Le prof lit un journal en nous jetant un œil ennuyé de temps à autre. La semaine de relâche approche, il se fiche pas mal de ce qu'on fait...

— Tu veux venir regarder des vidéos YouTube sur l'écran géant de mes parents ? me murmure Carolanne à l'oreille. Demain soir ?

— Je peux venir ? lance Roseline, l'une de nos amies, assise derrière moi. J'ai un nouveau kit de manucure.

— Ça va être malade ! Je vais acheter des brownies, OK ?

Je sais que les filles me parlent, mais j'essaie seulement d'entendre les garçons. Jalousie. Je suis jalouse. D'eux et de leur lien. Entre vrais gars, ils ont un lien, et moi, je suis dehors.

– Éloïse, tu écoutes ? chuchote Carolanne. Tu pourras dormir à la maison, je vais inviter les autres... J'ai trouvé un site de tests sur Internet, ça peut te dire quel genre de gars va être ton premier *chum*, c'est *cool*, hein ?

À l'écran, descendu devant le tableau, deux garçons font du *skateboard* alors que des filles, assises sur le bord du trottoir, les observent avec admiration. J'ai cette impression de fausseté quand je les regarde. J'ai l'impression que, pour moi, ce sera beaucoup plus compliqué.

Mes yeux se promènent des garçons aux filles, puis au film, et j'ai l'impression de ne pas être là. Mon corps y est, mais moi... le vrai moi... il est enfoui et, même si je veux avoir une place dans un groupe, je n'appartiens à aucun. Je suis coincée dans un mauvais rôle.

Je sens un truc froid me tomber sur la main et je regarde ma peau. Ça coule et ça coule. Merde... Je n'arrive pas à arrêter de pleurer. Il faut que je me lève devant tout le monde pour sortir. J'entends Roseline dire :

– Elle est tellement bizarre, Éloïse.

Je vais aux toilettes. Lentement, je me calme. Je me regarde dans le miroir. Je déteste ce que je vois. Je ne veux plus jamais voir mon visage ! Jamais de toute ma vie ! Mes cils sont trop longs, mes yeux, trop tristes, ma mâchoire, trop... fille. Il n'y a rien qui va pousser sur mon visage, je ne serai jamais comme Pascal. Il a du poil au-dessus de la lèvre. C'est laid, mais j'en veux, moi aussi !

Est-ce que je vais me sentir tordue de l'intérieur pour toujours ?

Fatigué. Fatiguée.

Le lendemain matin, devant mon local de mathématiques, il y a cet homme qui attend. Je me rappelle l'avoir déjà vu, mais où ? Je suis avec Carolanne.

— Bonjour, monsieur Gélinas, lance-t-elle.

— Bonjour, répond-il en nous adressant un sourire. Est-ce que je peux te parler une seconde, Éloïse ?

Il connaît mon nom ? Le collège est petit, mais quand même...

— Viens, me dit-il, toujours souriant. On va aller jaser dans mon bureau.

Je regarde la porte de mon local.

— Allez, je te sauve d'un cours de maths ! *Come on !*

Malgré moi, je le suis. Il me fait peur, tout le monde me fait peur.

Son bureau est près de l'entrée, dans le corridor réservé aux adultes. Si tu entres là, c'est que tu es dans la merde. Qu'est-ce qu'il me veut ? La pièce est petite, sans fenêtre. On dirait une prison... Il prend place derrière son bureau et me désigne une chaise de la main.

– Je suis l'intervenant psychosocial de l'école. Mon prénom est Paul.

Je hausse les sourcils. On ne fonctionne pas avec les prénoms au collège. Ce doit être une technique de psy.

– On s'est vus quand j'ai rencontré les groupes en début d'année.

Ah. Je ne dis rien. Je mets ma main sur le haut de ma cuisse. Il m'arrive encore d'aller dans la salle de bain et d'appuyer les ciseaux sur ma peau. Des fois, je coupe, parfois non.

– Ton prof de géographie m'a appelé hier après-midi. Il dit que tu as quitté son cours en larmes. Qu'est-ce qui s'est passé ?

Je tourne la tête vers le mur, à cinquante centimètres de mon visage. Je mens.

– J'étais juste fatiguée.

– Et là, ça va mieux ?

Je fais oui de la tête.

– Pourquoi ai-je l'impression que c'est faux ?

Je lui jette un rapide coup d'œil avant de fixer mes genoux. Bien serrés parce que c'est ce qu'il faut faire quand on porte des jupes. Ma jambe gauche tressaute.

– J'ai parcouru ton dossier scolaire, poursuit monsieur Gélinas en mettant la main sur une des chemises cartonnées sur son bureau. Tu ne l'as pas eu facile depuis le primaire, hein ?...

J'ai le cœur qui bat la chamade. Tout ce que j'arrive à dire, c'est :

– Je m'excuse d'avoir quitté la classe, hier.

– Ce n'est pas grave, m'assure-t-il. En tout cas, moi, je m'en fiche. Mais tu pleurais, hier, et je te vois parfois toute seule, près des casiers. Tu as souvent l'air triste.

– Et c'est votre travail de réparer les gens tristes ? que je lance durement. Les deux autres psys ne m'ont pas vraiment aidée. Ça doit être parce que je n'ai pas besoin d'aide.

– Éloïse, tu...

– Est-ce que je peux m'en aller ?

J'esquisse un geste pour me lever.

– Est-ce que tu es attirée par les filles ?

La question me surprend et je me fige, les coudes fléchis, les fesses à dix centimètres du coussin de la chaise. Lentement, je me rassois. Pourquoi cette question ? Il veut savoir si je suis lesbienne ? Je plisse le nez. Non, je n'ai pas l'impression que ce mot-là me concerne. Ce n'est pas un mot pour moi. Est-ce que j'aime les filles *comme ça* ?

– Non, je pense pas, que je réponds. Pourquoi vous me demandez ça ?

Paul Gélinas sourit doucement. Quoi ? J'ai mal répondu ? C'est encore une ruse de psy, j'en suis sûre. Il va me lancer un « garçon manqué » ou un « ça va passer » à la tête, c'est certain !

– J'ai lu les rapports des psychologues que tu as vus et je... Ça parle de comportements masculins, de problèmes à l'école, d'anxiété. Tu veux qu'on en parle ensemble ?

– Faut faire des efforts. Ça va passer.

– Qu'est-ce qui va passer ?

Je ne réponds pas. J'ai des larmes sous les paupières. Si je cligne des yeux, ça va couler. Long silence dans la pièce. Au loin, j'entends quelqu'un tapoter sur un clavier.

– Allez, m'encourage doucement le psy. Je suis là pour t'écouter. C'est entre toi et moi.

Je veux juste partir ! Aller faire des maths. C'est clair, les maths, même si je n'aime pas ça. Un plus un, ça fait deux, point final. C'est facile à comprendre, ça. Je chuchote finalement :

– J'ai juste... J'ai de la misère à m'habituer à... à moi.

– À toi ? répète-t-il, les sourcils froncés. Tu ne te trouves pas jolie ?

Bien sûr que je ne me trouve pas belle. Peut-être que si la personne qui crie toujours en dedans arrêtait de me dire que j'aurais dû avoir l'air d'autre chose, je pourrais me regarder et m'apprécier. Mais elle ne se tait jamais !

– Je voudrais juste être différent.

– Différent ?

– Différente, que je corrige, les joues rouges.

Un autre silence. Pas de bruit de clavier. Monsieur Gélinas me regarde, croise les bras sur sa chemise bleue. Je vois ses muscles à travers le tissu. Tout le monde le trouve beau. Toutes les filles, en tout cas. Moi aussi, j'avoue.

– Éloïse, commence-t-il, je vais te poser une question compliquée. J'aimerais que ta réponse soit honnête.

Il décroise ses bras, s'appuie sur son bureau. On dirait qu'il va me condamner à quelque chose.

– Est-ce que tu crois que ce serait plus simple de t'habituer à toi, comme tu dis, si tu étais un garçon ?

Je me recule sur ma chaise, la main appuyée sur ma cuisse coupée. Tambour dans ma tête. Il continue :

– Ça s'appelle être transgenre ou transsexuel. C'est quand on a l'impression qu'on aurait dû naître autrement, que...

– Je sais.

– Tu sais ?

Il a les yeux bleus, comme moi, et ses pupilles m'encouragent à parler. Je n'en ai pas envie. Pas du tout. Il va le dire aux autres adultes, on va me faire voir un vrai psy, un qui n'entendra pas mes mots.

– Ça change rien que je sois sûre d'être un gars, finalement. J'ai un corps de fille, tout le monde me répète que je suis une fille. Ma tête va finir par comprendre et c'est tout. Il n'y a rien à faire...

Il soupire, tend la main vers moi, mais pas question que je la prenne. J'essuie mes joues. Il retire sa main.

– Il y a plein de choses à faire. Je te le jure. Regarde sur Internet, il y a des centaines, des milliers de personnes dans le monde qui ont un jour pensé qu'il n'y avait rien à faire. Je ne connais pas tellement le sujet, pour être honnête, mais je sais que tu n'es pas un cas unique.

Presque malgré moi, je dis :

— Il y avait cette fille dans le métro... Elle était un gars avant, je pense, et...

J'hésite, je hausse les épaules.

— Je suis un peu comme elle, hein ? Un *freak* ?

— Pas *freak*, répond-il. Ça, c'est certain. La semaine de relâche arrive, prends un peu de temps pour lire, tu verras... Tu devrais en glisser un mot à tes parents. Ça te fera du bien, ajoute-t-il alors que je secoue la tête pour dire non. Tu...

— Est-ce que je peux partir ?

Il faut que je sorte d'ici. J'attendais que quelqu'un m'écoute et maintenant que j'ai quelqu'un, je ne veux plus.

— Oui, mais...

— Merci.

Je ne lui laisse pas le temps de terminer et je sors. Je ne respire pas mieux dehors. C'est comme dans Harry Potter, quand les murs du labyrinthe se referment sur les personnages ; on dirait que le corridor m'étouffe. J'arrive devant le local de maths à bout de souffle.

— Qu'est-ce qu'il te voulait ? me demande Carolanne lorsque je prends place près d'elle.

– Je sais pas...

– Ben là ! Il t'a dit quoi ?

– Rien.

Elle soupire :

– Maudit que t'es *weird* quand tu veux...

Pour mes cinq ans, j'ai eu des patins roses. C'est super génial ! Même si j'ai les genoux tout écorchés, j'adore ça. Je suis tanné du rose, mais ce n'est pas si grave, je voulais des patins. Mon casque est rose, ma fausse tondeuse est rose. Même mon ballon de soccer est rose. Ce n'est pas parce qu'ils pensent tous que je suis une fille qu'il n'y a pas d'autres couleurs, hein ? Les adultes sont bizarres.

J'ai eu des peluches et des animaux en plastique. Papa m'a fait promettre de ne pas les abîmer comme je l'ai fait avec Gabriel. Il a voulu le jeter ; j'ai fait une crise.

Joël me donne ses vieilles voitures, avec la piste de course qui tourne à l'envers. Il manque un morceau, mais j'en fabrique un nouveau avec un pot de plastique.

– Elle est inventive, hein ? dit papy, tout content. Tu es un génie, ma poupée.

– Si elle pouvait arrêter de jouer les tomboy*, ça, ce serait du génie, marmonne mon père.*

Il ne sourit plus comme avant et il ne m'emmène plus pêcher non plus. Je ne sais pas pourquoi, je ne sais pas ce que j'ai fait. Peut-être que c'est parce que j'ai barbouillé Gabriel. Mais je n'avais pas le choix ! Je ne pouvais pas le laisser comme ça.

Au moins, je m'entends bien avec Joël. Quand vient le temps de jouer avec lui, c'est une autre histoire par contre. Il aime les policiers, les bandits, la guerre. Moi aussi. Je veux participer, mais il dit :

— Les filles jouent pas à ça, Élo. C'est un jeu de gars. Maman fait des muffins aux smarties, tu veux l'aider ?

C'est injuste, il ne comprend pas.

— Laisse Éloïse jouer avec toi, intervient ma mère un jour. Juste cette fois ?

— Mais, maman, les filles comprennent rien à la bataille !

Ma mère lui fait des gros yeux et il dit « d'accord ». Il peut être rassuré, je ne lui demanderai jamais de jouer à la maman.

Joël ne veut pas jouer avec moi, aujourd'hui. Il a des amis à la maison, il ne veut pas que j'approche. De ma chambre, face à ma grosse maison de Barbie dans laquelle j'ai caché les vieux dinosaures de mon frère, je les entends, ses amis et lui, rire et faire une chasse au trésor. Je veux ça, moi aussi. Je suis tout seul près de mon couvre-lit rose, des papillons sur les murs, des trucs à paillettes et des jupes dans les tiroirs de ma commode. Je me sens étranger. Malade. Si j'étais un vrai frère, je pourrais sûrement jouer. Si les gens comprenaient, je n'aurais pas mal au ventre.

Je n'ai pas revu Paul Gélinas de la semaine. Enfin, si, je l'ai aperçu à l'entrée de la cafétéria, mais j'ai marché vite vers l'autre sortie. Il est complètement fou ! Il dit que... que j'ai... que c'est possible d'être comme je suis. J'aurais préféré qu'il me traite de débile. Parce que je connais le mot « transsexuel » et que j'aurais aimé que ça ne soit pas moi. Pourtant je *sais*... Je sais que cette femme, l'an passé, et moi, on a un lien. Je ne veux pas y penser.

Ma mère va avoir un bébé. Après l'été, quand l'école va recommencer. Elle a l'air contente, alors moi aussi je le suis. Mon père a dit que c'était une bonne surprise et tout le monde dans la famille a appelé pour féliciter mes parents. J'espère que le bébé sera une fille. Une vraie fille, qui fait les bonnes choses. Ou peut-être que ce serait mieux que ce soit un garçon ; comme ça, on ne me dira pas : « Regarde ta sœur, fais comme elle. » Non, une fille, c'est mieux. Peut-être que j'aurai moins l'impression de décevoir mes parents s'ils ont une fille à aimer à ma place.

C'est le deuxième jour des vacances, je vais dans la chambre de Joël. Il va avoir quinze ans et il faut remercier le ciel pour cette fille, dont je ne sais pas le nom, avec qui il sort. Il n'est jamais à la maison et j'ai donc le champ libre pour utiliser son ordinateur sans me faire demander « pour quoi faire ? » et l'avoir derrière moi sans arrêt. Je pense qu'il ne veut pas que je découvre qu'il va sur des sites pornos. Franchement, ça fait longtemps que je le sais !

Transsexuel. Je tape le mot, les doigts tremblants, et je tombe sur ça : « Les personnes transsexuelles ont le sentiment de ne pas être nées dans le bon corps, que leur sexe ne correspond pas à leur esprit. » Je regarde l'écran, les mains près du clavier, et un malaise profond m'envahit. Trop réel. J'ai peur de lire la suite, mais je ne peux m'en empêcher : « Un homme transsexuel se sent un homme même s'il a un sexe féminin. » Je comprends. Je saisis le sens. L'émotion, je la ressens. Tellement, tellement fort...

Rapidement, je ferme l'écran. L'ordinateur continue de ronronner, j'ai encore l'impression de voir les mots. Noir sur blanc. Ça m'éblouit. Pendant un court instant, il y a eu cette lumière directement devant mes yeux et je vois plein de petits points colorés. Mais rien qui forme une image. Alors... les paroles dans ma tête, les rêves, les larmes, les souhaits, ils ont un nom ? Une raison ?

Trois jours plus tard, je retourne dans la chambre de Joël. Je veux lire encore. Rechercher des trucs sur les transsexuels. Je ne veux pas être comme ça ; je ne veux pas comprendre ce que ça veut dire d'avoir l'impression d'être né mal fait. Je ne veux pas être comme la femme dans le métro. Je veux juste être normale. Normal ?

Non, normale.

Je parcours quelques témoignages, lis les mots « hormones », « chirurgies » et surtout « psychologue ». Je ne veux pas aller dans la transsexualité.

Est-ce que j'ai le choix ? Il semble que non, je ne peux pas y échapper. C'est en moi, comme une tare incurable. Est-ce que c'est ça, mon mot ? Ma réponse ? Si on me demande qui je suis, est-ce que je peux dire que je suis transsexuel maintenant ?

Couchée sur mon lit, je regarde le plafond. J'entends la télévision dans la chambre de mes parents, j'entends Joël qui joue à un jeu sur son ordinateur. Qu'on m'englobe. Qu'on m'enveloppe, que je coule dans mes draps et puis sous le lit et que je disparaisse. J'ai un poids dans la poitrine. Si la réalité avait un vrai poids, je serais vraiment écrasée, c'est certain.

Cet après-midi, je me suis lue. Dans la chambre de mon frère, j'ai lu ma peine et ma douleur sur son écran. Le malaise, les tentatives pour s'intégrer, le sentiment étrange et permanent d'être quelqu'un d'autre. L'envie de crier de colère, l'envie de frapper les murs parce qu'on ne comprend pas. J'ai lu des histoires de filles trans, comme cette femme dans le métro, qui parlent de honte et de cachotteries dans leur chambre quand elles étaient petites, et aussi des histoires de gars comme moi qui disent avoir été à leurs cours de ballet en refusant de porter des collants et qui ont fait rire d'eux parce qu'ils voulaient faire pipi debout et se mouillaient. Et j'ai tout compris. J'ai tout senti. Je voyais presque leurs visages, à ces gens qui racontaient ma vie. Les maigres sourires, les yeux perdus, j'ai tout vu. Et pourtant, je veux seulement les fermer, mes yeux, oublier que ça fait longtemps... longtemps que j'aurais dû comprendre.

– *Yeah !* crie Joël de sa chambre.

Quand est-ce que j'ai oublié ? Quand est-ce que j'ai arrêté, à chaque anniversaire et chaque fois que je perdais une dent, chaque fois que je voyais une étoile filante et chaque fois que je trouvais un trèfle à quatre feuilles, de souhaiter être transformée en vrai garçon, qu'on me donne un pénis comme les autres ? Quand est-ce que j'ai compris que ce n'était pas si simple, que les autres ne me verraient pas comme moi, je me vois ? Quand est-ce qu'Éloïse-Il est parti pour laisser la place à Éloïse-je-ne-sais-pas ?

Je n'arrête pas d'aller sur l'ordinateur de mon frère. Je veux lire, je veux qu'on me confirme, encore et encore, que je ne suis pas toute seule. Encore et encore. J'étais certaine que... que ça n'avait pas de nom, cette douleur-là, cette impression d'être tout croche. Est-ce que c'est ça, un miracle ? De trouver une raison alors que je pensais qu'il n'y en aurait jamais ? Mon sentiment a un nom. Transsexualité. Dysphorie, c'est ce que les autres ont écrit. La détresse et le malaise de ne pas avoir un corps que je reconnais, la peur de rester coincée... je suis dysphorique. On dirait que ces anonymes, d'autres transsexuels, viennent de me donner le droit d'avoir mal. En apprenant ce mot, j'existe ailleurs, j'ai trouvé un point d'ancrage duquel partir. Enfin, je sais que j'ai le droit de penser être un garçon. Mais c'est effrayant, parce que ça veut dire que ça ne partira jamais. Le mot est tellement grand... Je ne sais pas quoi en faire.

En maternelle, je dois me battre sans arrêt pour m'habiller comme je veux. Joël ne porte jamais de fleuri ou de petits brillants. Et pas de robes. Alors, pourquoi, moi, je dois en porter ?

– Allez, Lili, me prie ma mère de sa voix douce, il faut mettre ta robe, tu vas être jolie.

Je me débats, il n'en est pas question ! Je perds. Je supplie, je ne veux pas. Quand je me regarde dans le miroir après ma défaite, je pleure. Mon père secoue la tête, agacé.

– Arrête tout de suite ! C'est juste une robe !

– Tu es comme moi, tente de me rassurer ma mère. Regarde.

Ce n'est pas vrai. Je veux être comme mon père. Comme mon frère. Je ne veux pas ressentir... C'est difficile à décrire. Il y a une espèce de boule qui gonfle dans mon ventre, une boule de peur, de panique, de doute. Une boule que je ne comprends pas. Elle est coincée là, entre mon cœur et mon entrejambe.

Pour eux, c'est simple : t'as un sexe de fille, t'es une fille. Mais ça ne marche pas comme ça, je le sais, moi. Je me sens garçon, alors mon corps est celui d'un garçon, point final. J'ai une logique différente de la leur. Personne ne m'écoute.

J'ai mis un bas dans mes sous-vêtements ce matin, ça fait une petite bosse. Mon père trouve ça vulgaire. Je veux un pénis, c'est tout. Si j'en avais un, ils m'écouteraient, ils ne me diraient pas que je suis une fille. Je veux être comme les autres garçons.

Fâché, papa m'assoit sur le divan du salon et lance :

— Tu n'as pas fini avec ces histoires ? J'en ai assez de t'entendre toujours dire les mêmes choses ! On t'a montré des images, tu sais comment c'est, tu es assez grande pour comprendre, montre-moi que tu es intelligente !

Il se tourne vers ma mère et dit :

— Tu l'as trop encouragée à faire des trucs bizarres, elle est toute mélangée.

C'est si simple dans ma tête, pourtant : je vais grandir et être comme Joël, pourquoi me traiter différemment ? Mais plus je prétends que je suis comme mon frère, plus on me force à avaler les mots contraires. Qu'est-ce que je peux faire ? Ce sont des adultes. Je fais encore pipi au lit parfois, je dois avoir tort. Non ?

Ce doit être là que j'ai oublié. Oublié que j'avais raison, même si tout le monde me disait que c'était enfantin et stupide de penser comme ça. Que me sentir garçon a commencé à faire mal. Que c'est devenu un truc méchant, pas la réalité. J'ai arrêté de corriger les gens quand j'ai commencé l'école. J'étais mal en silence.

Pourtant, il y a tellement d'autres personnes, tellement d'autres enfants comme moi... Je me regarde dans le miroir à travers les expériences des autres. Il y a plein de termes que je ne comprends pas : bloqueurs, traitements hormonaux substitutifs, FTM, MTF, endocrinologue, phalloplastie, mastectomie, métoidioplastie, vaginoplastie, transphobie, dysphorie et plein d'autres trucs en *ie* qui sonnent comme des maladies à mes oreilles.

Il est tard, l'école recommence dans quelques jours. Je me lève, fouille dans le bac plat sous mon lit. Ma mère y garde mes bulletins, mes projets scolaires. Je trouve le dessin que j'ai fait il y a plus de deux ans. Celui qui m'a menée chez le psy numéro deux. Il y a mes grands-parents avec leurs noms sous leurs bonshommes, mes parents, mon frère, et leurs prénoms aussi. Et moi. J'ai été interrompue en écrivant mon propre prénom, je m'en souviens. J'ai juste eu le temps d'écrire É-L-O-I... Un nom de gars. Le mien, incomplet et pourtant... tellement plus entier ! Prémonitoire ? Je ne sais pas. Tout ce que je sais, c'est que, ce soir, seule dans ma chambre, ça me frappe. J'ai peur, d'accord. Je n'ai pas envie, d'accord. Mais je suis soulagée. *Soulagé*. J'avais raison. Toutes ces années, j'avais *raison*. Éloïse n'a jamais vraiment existé que pour les autres. Moi, je suis Éloi. Un gars. Transsexuel.

Je marche vers la maison de Pascal la veille de notre retour en classe, mais, pour la première fois, j'ai peur de le voir. Je vais lui dire, lui parler de ce que j'ai compris. J'ai besoin de le dire à haute voix pour que quelqu'un m'entende.

– Il faut que je te parle. Pour de vrai.

Nous sommes dans le salon. On a écouté *Breakfast Club*, un film que sa mère avait sur son étagère.

– Parce qu'on parle « pour de faux » en ce moment ?

– C'est secret.

Il hoche la tête, tout sérieux. James Bond sérieux. Nous montons à sa chambre, il ferme la porte.

– Qu'est-ce que t'as ? me demande-t-il.

Comment tu dis ça à ton meilleur ami ? Que t'es vraiment pas normal ?

– Tu penses que je fais une bonne fille ?

– Quoi ? s'exclame Pascal.

Il rit, mais mon air renfrogné le décourage de s'esclaffer plus fortement.

– Je sais pas... Plus t'es fille, plus t'es plate.

– Ben là !

Offensé, je croise les bras sur ma poitrine. Il poursuit :

– Ben quoi ? Avant, on s'amusait vraiment beaucoup, on avait plein de trucs en commun et maintenant... Je sais pas, Éloïse, t'es toujours ma meilleure amie, mais... c'est plus pareil comme quand on était petits.

— Je veux que ce soit comme avant. J'essaie d'être comme les filles, mais... je suis pas comme les autres.

— Je le sais, ça, dit Pascal en haussant les épaules. Je comprends pas pourquoi t'essaies, de toute façon. Tu seras jamais comme elles, je te connais...

Pascal a toujours accepté le fait que je sois presque à l'opposé des autres filles qu'on a côtoyées. Il n'a jamais voulu savoir pourquoi je n'aime pas tel ou tel truc, pourquoi je m'habille souvent comme lui. Mais, dans sa chambre, à ce moment-là, je sais que je vais le pousser plus loin que ce qu'il comprend de moi. Il y a tant de choses que je ne comprends pas, moi non plus !

— Non, tu sais pas, que je marmonne. Écoute, je pense... je pense que... j'ai...

— Tu bégaies, remarque Pascal.

— Je suis né dans le mauvais corps.

Il y a un silence. Pascal remonte ses lunettes sur son nez, approche la tête de moi, comme si ça allait rendre mes mots plus clairs. Je continue, totalement incapable de le regarder dans les yeux.

— J'ai lu ça sur Internet. Il y a des personnes qui sont nées dans un corps de gars, qui ont un... tu sais...

et tout le reste, mais qui pensent qu'elles sont des filles en dedans...

— Oui, mais t'as pas de pénis, Éloïse.

— Je sais, mais... justement, c'est la même chose pour moi, mais à l'envers. J'ai l'impression que... à l'intérieur, je sens que je suis comme toi, mais à l'extérieur, je suis comme Caro, tu comprends ?... Est-ce que tu comprends ?

J'ai crié ça avant de me mettre à sangloter. Je suis un brailleur, j'y peux rien. Et franchement, quand t'as pas de mots, tu fais quoi ? Tu te tais ou tu pleures. Je fais beaucoup des deux.

Finalement, Pascal me tend des mouchoirs de papier.

— Qu'est-ce que t'essaies de me dire ? me demande-t-il.

— Je ne me sens pas bien, Pascal. Jamais. J'essaie de faire comme une fille, mais en dedans, ça me dit que j'ai pas raison de faire ça.

— C'est pas plus clair... Tu veux être un gars ?

— Non... J'en suis déjà un...

Je baisse la tête et des mèches châtaines me retombent devant les yeux. C'est le nœud du problème. Je ne *veux* pas être un gars, c'est déjà ce que je suis.

– Je veux que tu me regardes et que tu voies un gars. Parce que, en dedans, je me sens comme ça.

Silence. Tête qui se penche sur le côté. Nez qui se plisse. Gros soupir. OK, je suis *safe*, il y pense vraiment.

– Mais c'est impossible que tu deviennes un gars juste comme ça, Éloïse ! Ne rêve pas en couleurs.

– Il y a des opérations, des piqûres, c'est pas de la magie...

– Comment tu sais ça ?

– Internet.

– Voyons ! Tu peux pas croire tout ce que tu lis sur Internet !

– Je sais, je suis pas stupide ! Mais je... Regarde, toi aussi, OK ? J'ai lu, mais je comprends pas tout et t'es plus intelligent que moi...

– C'est pas vrai.

– Tu le sais que c'est vrai, que je lance en lui poussant l'épaule.

Il sourit, flatté, et je me redresse, encouragé. Je chuchote :

– Il y en a d'autres, tu savais ? D'autres gens comme moi. Je pensais que j'étais tout seul à...

– C'est vraiment bizarre...

– Mais t'es encore mon ami, hein ?

– Ben oui, franchement, Éloïse.

– Même si je suis transsexuel pour vrai ?

– Pour toujours, OK ?

Il me prend la main, la serre un peu. Puis il regarde mes ongles roses.

– C'est laid, ça.

Je ris.

– Mets-en !

Imagine que tu as un rhume. Tu fais quoi après t'en être rendu compte ? Tu prends des médicaments, tu te reposes. Mais je fais quoi, moi ? Qui peut me dire si c'est vraiment ça, ma maladie ? Le psy de l'école ? Et puis, « changer de sexe », c'est une expression abstraite. Je veux changer de sexe, je veux être un vrai gars, dehors comme dedans. OK, mais comment ?

Plus je cherche, plus ça me fait peur et plus je me dis que c'est *trop*. Trop. Depuis des semaines, on fouille et on trouve. J'évite Paul Gélinas, mais je ne pourrai pas le faire pour toujours, je le sais... Même Pascal, avec ses bonnes notes et ses bonnes réponses, ne sait pas comment je dois faire. Il me parle d'opérations où l'on enlève un bout de peau quelque part pour faire un pénis. De cancers à cause des hormones. De personnes qui se sont fait tuer. Comme Brandon Teena, ce gars dont ils ont pris l'histoire pour faire un film. Probablement le seul film que je ne regarderai jamais...

– Il y a des trucs vraiment dangereux, me dit Pascal. Parce que... Parce que c'est vraiment compliqué. T'es sûre que c'est comme ça que tu te sens ?

– Je sais pas.

Je sais, mais je ne veux pas. J'ai compris. C'est très clair dans ma tête et c'est un immense soulagement. Je sais qui je suis. Je connais la raison, la réponse à mes questions. Je suis un garçon, j'ai toujours été un garçon. Quand j'y pense, il y a cette grosse boule de chaleur qui grossit dans ma poitrine. Elle me réchauffe, elle vide mes poumons et, pendant un moment, je respire si bien !

Puis, la minute d'après, elle disparaît et la réalité me rattrape encore, me tient au collet, me colle le visage contre elle. Je suis un gars, mais pas un gars comme les autres. Je sais que ce n'est pas ma faute, je n'ai pas fait exprès d'être comme ça, mais... si j'en parle à mes parents, ils vont me détester. Même Pascal voudrait que ça disparaisse. Il ne l'a pas dit, mais je le connais... J'ai honte d'être tout croche.

Alors que je pense à tout ça, quelques semaines après notre première conversation sur le sujet,

j'entends le téléphone qui sonne au rez-de-chaussée.
Ma mère me l'apporte ; c'est Pascal, justement.

– J'ai trouvé un truc important. Un numéro.

– Un numéro ? Je peux t'en donner plein, des
numéros. Douze, dix-huit...

– T'es nounoune, lance mon ami. Mais t'es stressée aussi. Tes blagues sont pourries quand t'es stressée.
Tu y pensais encore, hein ?

Je ne réponds pas. J'y pense tout le temps.

– C'est le numéro d'un docteur, continue Pascal.
Il s'occupe des enfants comme toi. C'est dans un
hôpital de Montréal.

– C'est là qu'ils t'opèrent ?

– Ça, je sais pas... Tu devrais appeler.

Un numéro de docteur ? Un doc pour moi ? Je
murmure :

– Faudrait que je demande à mes parents.

– Faudrait que tu demandes à tes parents.

Le lendemain, c'est le 1er avril. Quand j'entends
mon nom à l'interphone, je pense à une mauvaise
blague de poisson d'avril.

La porte du bureau de Paul Gélinas est ouverte. Il me fait signe de m'asseoir.

– J'ai des papiers pour toi.

Il glisse une petite chemise cartonnée sur le bureau. Curieux, j'approche. En l'ouvrant, je vois des photocopies, mes yeux attrapent plein de mots que j'ai déjà lus dans le dernier mois. Je referme le carton et demande, gêné :

– C'est vrai qu'il y a un docteur à Montréal qui s'occupe des gens comme moi ?

Paul sourit, sort une feuille du dossier.

– Oui, regarde, c'est lui.

Je jette un œil, détourne la tête vers le mur blanc. Ce monsieur-là, il pourrait changer mon corps... Je ne voulais pas mettre un visage sur le nom que Pascal m'a donné. J'aurais aimé qu'il se soit trompé, que ce soit un docteur de l'autre bout du monde... Sur Internet, j'ai vu des images, ça laisse des marques, il y a des histoires d'horreur... Au milieu de tout ça, il y a de belles histoires aussi, mais... et si j'étais du mauvais côté ? Être transsexuel, c'est vraiment effrayant. J'ai honte. Parce que j'essaie et je n'y arrive pas. Je *sais* que je ne suis pas une fille comme Carolanne, comme ma mère, mais... J'aurais aimé être assez fort pour faire semblant. Quand je me dis que je suis un garçon, ça me fait encore du bien, mais ce n'est plus comme il y a quelques semaines. Il y a des conséquences à la vérité et je ne suis pas prêt à les affronter.

– Tu veux que j'appelle tes parents ? me demande Paul doucement. Pour mettre tout ça au clair.

Je dis non, j'ai trop peur, je vois déjà *trop* clair.

– Je veux pas en parler.

– Ça te ferait du bien, pourtant...

– Ça, c'est ce que les personnes normales pensent...

12 ans 10 mois

C'est pire depuis que je sais. Avoir une réponse et ne pas la partager, c'est pire que de ne pas savoir. La semaine passée, on avait un concours d'orthographe en classe. Le prix : deux billets de cinéma. La prof m'a demandé d'épeler « désespoir ». J'ai eu envie de lui épeler « transsexuel ». Je suis fatigué...

– Tu le dis ou c'est moi qui vais le dire ! me menace Pascal, un après-midi.

– Tu ferais pas ça... Non ?

On est chez lui, on joue à Mario Bros. Il aime les courses, j'aime les batailles. Entre chaque partie, je me gratte. J'ai tellement l'habitude maintenant de ressentir la douleur et d'être apaisé pendant un temps. Au moins, elle n'arrive pas tout à coup, comme ça, sans prévenir. Pascal ne sait pas que je me coupe la cuisse. Pas souvent, je le jure. C'est juste que... des fois, gratter n'est pas suffisant.

– Tu saignes encore, remarque Pascal en déposant sa manette. Je vais te chercher une débarbouillette.

Lorsqu'il revient, il me lance un bout de tissu mouillé. C'est froid.

– Je vais le dire à ta place, je te le jure, déclare Pascal. Je sais que tu sais pas quoi faire d'autre, mais j'aime pas que tu te grattes. Il faut que tu en parles. Tu me fais peur.

Je comprends, je me fais peur aussi.

– Je suis pas capable, que je dis en soulevant le tissu.

– Qu'est-ce qui pique ?

– Je sais pas... C'est comme partout que ça pique.

– Je veux pas que tu sois toujours une fille, t'es pas bien, je suis pas aveugle. Je veux pas qu'un jour tu sois trop... malheureux. Tu souris presque jamais maintenant, tu parles presque plus, tu... t'es pas là, Éloïse.

– Je suis correct. Ça passe.

– T'es une mauvaise... T'es un mauvais menteur.

Je baisse les yeux sur ma manette, sur le tapis de sa chambre. Une larme tombe sur la débarbouillette. Aspirée par le tissu. Je ne sais pas s'il l'a vue.

– Tu parles ou je parle...

J'ai fait oui de la tête. Oui à quoi ? Je ne sais pas trop... Il a raison, Pascal, mais... mes parents vont être trop fâchés et, même si je leur jure que je suis un garçon, ils vont me dire que je suis fou. De me taire. Je l'ai dit quand j'étais petit et ça n'a rien donné. Je veux juste la paix. Dans ma tête, surtout.

Pourtant, je regarde sans cesse le numéro du docteur. Je veux tellement le voir !

J'ai sept ans et je vois une psy. Parce que je me suis battu à l'école. Et pas juste une fois. Mes parents se fâchent chaque fois que je vais la voir. Parce que je ne coopère pas, qu'ils disent. Ce n'est pas ma faute si la psy est sourde !

Je veux qu'elle sente le bruit sous mes mots... l'espèce de mal-être qui me fait peur et qui me fait crier souvent. J'ai besoin qu'on m'entende vraiment.

La psy dit à mes parents :

— Vous avez une petite tomboy *sur les bras.*

Elle veut que je trouve un sport que j'aime, pour canaliser mon énergie.

Je sais ce que je veux faire. Tout à l'heure, j'attendais ma mère devant la boulangerie et il y a un studio de danse juste à côté. Les grandes vitres laissaient voir des petits groupes qui répétaient. J'ai trouvé ça vraiment cool. *Vraiment, vraiment* cool.

— Lili, viens vite ! a appelé ma mère en sortant de la boulangerie. On doit aller chercher ton frère à son entraînement de football.

De retour à la maison, on s'installe pour le repas du soir avec mon père. Je déclare :

— Je voudrais prendre des cours de danse.

Le visage de mes parents s'illumine. Mon père a l'air soulagé sans bon sens et on dirait que je viens d'offrir un million de dollars à ma mère... Joël est surpris.

— Toi, danser ? dit-il en riant.

— C'est une superbe idée, approuve ma mère.

— Enfin...

Ça, c'est mon père. Il a l'air content, je crois que je fais un bon choix.

— Il y avait des gens, près du magasin tantôt, et ils tournaient et sautaient et la musique faisait boom-boom-boom.

— Boom ? répète ma mère. Ça ne devait pas être une musique de ballet-jazz, ma chouette.

Ballet-jazz ? Qu'est-ce que c'est que ça ? Le ballet, ce n'est pas un truc avec des jupes ? Je pose la question et Joël se met à rire.

— Oui ! Tu vas adorer. Il y a des froufrous.

— Ah non, je veux pas ça !

— Ça m'étonne pas...

— Joël, ne l'encourage pas, grommelle mon père. Tu veux pas danser, donc ?

— Oui, mais je veux faire ça.

Je démontre le « ça » après m'être levé. Joël éclate de rire.

— Avec des cours, je vais être bon, que je marmonne.

— On dit « bonne », Éloïse...

— Du hip hop ? s'étonne ma mère, visiblement déçue, son rêve de Lac des cygnes envolé en fumée. T'es sûre ?

— C'est pas vraiment pour les filles, ça... Et surtout pas à ton âge.

— Je peux pas jouer au hockey ou au football comme Jo, je peux pas faire de danse non plus ?

— Éloïse... pourquoi tu veux jamais rien faire de normal ? soupire mon père.

Normal ? Le mot fait pression sur mon estomac. Je sais qu'il ne s'applique pas vraiment à moi.

— Laisse-nous y penser, conclut ma mère.

Mon frère lance, narquois :

— T'es vraiment un garçon manqué, Lili.

Manqué. Brisé. Mais réparable, non ?

C'est ma fête dans un mois, le 1er juin. Ma mère m'a demandé ce que je voulais. Je veux rien. Rien de ce dont j'ai besoin ne s'achète au magasin. *J'ai peur, maman. Je rêve la nuit que je suis menstrué. J'entends les gens t'appeler madame et j'ai peur. Je n'arrive pas à respirer, je veux que jamais on ne m'appelle « madame ». Dans mon cauchemar, j'ai des seins et je n'arrive pas à les cacher. On me dit que je suis belle et le mot me brûle. J'étouffe quand je pense à plus tard. Mon corps est mauvais, il est mal fait, il m'en faut un nouveau sinon... Sinon je préfère tout arrêter avant de devenir une « madame ».*

Je ne lui ai pas dit ça, évidemment. J'ai seulement souri. Je fais que ça, sourire. Je me rends bien compte que le temps passe et que je ne me répare pas. Je sais que je suis en train de passer à côté de moi, d'Éloi, pour garder en vie une image d'Éloïse déjà sous respirateur. Laissez-moi juste... fermer les yeux. Oublier.

– À quoi tu penses ? me demande ma mère le soir même, à l'épicerie.

Je pense que je dois essayer de le dire. Mais j'ai trop peur. Peur à en vomir, là, maintenant, dans l'allée des viandes.

– Faudrait aller magasiner ensemble cette fin de semaine, continue ma mère. Te trouver des soutiens-gorge, tu vas en avoir besoin, bientôt.

Je plaque mes mains sur ma maigre poitrine, tente de l'aplatir. Ma mère me tape la main :

– Ne fais pas ça !

– Est-ce que c'est possible de ne pas avoir de seins ?

– Tu vas en avoir, c'est en grande partie génétique. Regarde-moi.

– Je n'en veux pas.

– Tu es chanceuse, m'assure-t-elle en riant. Il y a des femmes qui en veulent et qui n'en ont pas.

– Les garçons n'ont pas de poitrine.

– En effet.

Elle ne me regarde pas, occupée à comparer des paquets de saumon. Le cœur battant, je dis :

– On peut les faire enlever quand on est plus vieux.

– Pardon ?

Ses yeux quittent les poissons morts, se posent sur moi. Je suis dans la merde...

– Je... Je me sentirais mieux avec un corps comme celui de Joël, que je marmonne.

97

– Le corps de... Lili, voyons, qu'est-ce que tu racontes ?

– Ça s'appelle être transsexuel.

– Mais où t'as appris ce mot-là ? soupire ma mère, son attention de nouveau sur Nemo et ses amis, ayant apparemment tout oublié de la femme dans le métro l'été précédent. Écoute, je sais que t'aimes pas les fleurs et les trucs fifilles, on va te trouver quelque chose de plus neutre, OK ? Franchement, Éloïse, faut que tu arrêtes de lire toute sorte de trucs qui sont pas de ton âge.

Notre conversation s'arrête là. Comme les dizaines d'autres fois où j'ai tendu une perche maladroite à mes parents, je ne rencontre que du vide. Et je suis trop peu sûr de moi pour oser les frapper avec la perche pour les faire réagir.

– Éloïse ? m'appelle mon père du bas de l'escalier un matin.

Éloi. C'est Éloi que tu dois dire. C'est mon nom maintenant. Dans ma tête et, un jour, hors de ma tête, tout le monde m'appellera comme ça. Mais ça, il ne le sait pas.

Je descends rapidement les marches. C'est après la fête des Mères, après l'anniversaire de mon frère ; il a eu dix-sept ans.

– Dépêche-toi, je vais vous conduire à l'école, poursuit papa.

Joël est à la table de cuisine, il mange des céréales. Derrière lui, je vois la cour de la maison. Il pleut à verse.

– Tu veux des tresses ? me demande ma mère.

Depuis un an, je dis oui, mais là, je n'en ai pas envie. Je ne veux plus. Je veux être moi, j'en ai assez. Hier, dans la salle de bain, je regardais la première coupure que j'ai faite et qui a laissé une marque pâle sur mon bras. Celles sur mes cuisses paraissent plus, je n'aurais pas dû... J'ai repensé au psy de l'école, qui veut tout le temps que je parle, et aux mots qui ne veulent pas sortir de ma tête. Je réponds finalement :

– Non merci.

– Tu n'as pas mis ta nouvelle jupe ?

– J'avais pas envie.

C'est le jour sans uniforme au collège. J'ai retrouvé un vieux short et, avec les ciseaux, j'ai arraché les paillettes sur les poches arrière. J'espère que maman ne le remarquera pas.

– T'as enlevé ton vernis ? Ça te faisait bien, le mauve.

Nouveau haussement d'épaules. J'ai pris son truc qui pue et j'ai frotté pour que ça parte. Je suis Éloi, pas Éloïse, et je n'aime pas les trucs de fille. Ce n'est pas moi. J'ai trois soutiens-gorge que je ne veux pas mettre et des petits bouts de seins que je déteste tellement ! De plus en plus souvent, le gros monstre de la dysphorie me tape sur l'épaule pour me dire que, grosse nouvelle, malgré ma tête qui dit « gars », mon corps, lui, crie « fille » de plus en plus fort. Hier, j'ai décidé que c'était assez.

— Tu veux quoi pour ta fête finalement ? me questionne mon père entre deux gorgées de café.

— Des nouvelles roues pour ma planche.

La phrase sort de ma bouche avant même que je n'y réfléchisse. Il y a un an que je n'ai pas fait de *skateboard*, même plus. Joël semble surpris.

— Ça t'avait pas passé, ce *trip*-là ?

— Je vais recommencer.

Je souris à mon bol de céréales. Ma poitrine se desserre tranquillement. Oui, je vais recommencer à faire les trucs que j'aime. Est-ce que c'est ça qu'on appelle se réapproprier ? Se retrouver ? Je suppose que oui.

— T'étais normale, maudit, soupire mon père un dimanche alors que je reviens à la maison le chandail plein de boue parce que je suis tombé.

« Normal » a toujours été son mot favori pour décrire ce que je ne suis pas. Je ne suis pas normal, je le sais. Et c'est de moins en moins grave. Je recommence à m'obstiner à propos des vêtements que je vais porter, à vouloir prendre les trucs trop petits de mon frère plutôt que voir ma mère les donner à des cousins. Ça fait moins mal en dedans.

Un après-midi, je rentre les genoux et les mollets tout égratignés à cause d'une expédition de chercheurs d'or dans le bois derrière chez Pascal et j'en suis tellement heureux ! Je ne sais pas, je pense qu'être écorché, c'est dans ma nature. Je suis toujours en guérison.

— Lili, soupire ma mère alors que nous sommes dans la salle de bain et qu'elle nettoie mes jambes. Ne redeviens pas un petit gars manqué, s'il te plaît...

Ils m'ont fait un corps de fille, mon père et ma mère. Et ma tête, ils l'ont faite garçon. Je vais leur dire ça ? Je vais tout gâcher. La culpabilité me pique, elle me désigne du doigt. Mais je commence sérieusement à m'en ficher. Le silence me fait beaucoup plus peur que leur colère à tous. Je demande soudainement :

— Est-ce que je peux couper mes cheveux ?

— Jusqu'où ? s'inquiète ma mère, suspicieuse.

Je hausse les épaules, pointe le *clipper* du menton. Elle me renvoie un regard sévère.

— Tu sais que c'est non.

Je soupire, mais je ne réplique rien. Quand elle va savoir... elle va être obligée de dire oui. Pas vrai ?

Pascal pense que oui, en tout cas. Carolanne, je ne sais pas. J'ai peur de lui dire, à elle. Que je ne suis pas une fille. Elle et ses amies... je suis loin d'elles. Je les regarde et il me semble que la distance entre nous est grande de plusieurs mètres. Entre moi et les autres garçons aussi, il y a beaucoup de distance. Et si je parle, je vais m'éloigner encore plus. Je ne veux pas être tout seul, la solitude me fait peur. Mais je sais qu'il faut que j'avance. Au moins, je pourrai être moi. Le vrai moi.

13 ans 1 mois

Je vais voir Joël dans sa chambre. C'est aujourd'hui que je lui dis. J'ai atteint un point de non-retour. J'ai promis à Pascal.

Je porte un boxer qu'il m'a donné, un t-shirt trois fois trop grand. Je me sens tellement tout petit devant lui. Ou c'est peut-être juste parce que j'aime savoir de quoi je parle et là, il y a plein de trucs incertains dans ma tête. J'ai le numéro du docteur qui s'occupe des enfants trans dans la main.

Mon frère est assis sur son lit, en uniforme de travail. Il vient de rentrer de son quart au dépanneur, il y a à peine dix minutes et il est déjà au téléphone.

– OK, bonne nuit, dit-il. Je t'appelle demain.

Je résiste à l'envie de rouler des yeux. Lui et les filles... Il ne peut pas passer trois minutes sans blonde, c'est ridicule. Il me dévisage.

– Qu'est-ce que tu veux, moucheron ?

– Faut que je te parle. De petit moustique à grand moustique.

Joël secoue la tête, mais je le vois sourire un peu. Je m'approche du lit, m'assois.

– Il ne faut pas que tu ries.

– Je ne ris jamais de toi, voyons.

Il rit tout le temps. Même quand ce n'est pas drôle, juste parce que c'est dans la description de tâches d'un grand frère de rire des plus petits. Je prends une grande inspiration. Mes genoux tremblent.

– Tu sais que je disais toujours que j'étais un garçon quand j'étais petit ?

– Petite, Élo. Oui, je me rappelle.

– Et que je voulais jouer avec tes affaires ? Et comment j'ai jamais voulu mettre de robes et comment je veux me couper les cheveux, mais maman veut jamais. Et comment je n'aime pas les jeux de fille. Et comment je...

– Woh, relaxe, lance Joël. Tu vas hyperventiler si tu continues à parler si vite.

– Tu sais ce que le mot transsexuel veut dire ?

Mon frère fronce les sourcils avant d'éclater de rire. Je suis habitué à ça, mais, ce coup-ci, mes yeux se remplissent d'eau. Je vais encore frapper un mur.

— Oui, je sais, petite *smatte*, répond finalement Joël.

— C'est ça que je suis.

Il y a un autre moment de silence et Joël dit, sans se départir de son sourire :

— Tu peux pas, Éloïse. Moi, je pourrais être une tranny si je me déguisais en fille, mais toi, t'es déjà une fille, ça marche pas.

Je ne me sens pas la force de lui expliquer que ça ne fonctionne pas seulement d'homme à femme, que moi aussi j'existe. Je lui confie, en m'approchant un peu :

— Écoute, je suis pas bien. J'essaie de faire comme papa et maman veulent, mais je suis pas bien.

— Laisse-les faire, reste *tomboy*, ils vont bien voir qu'il y a rien à faire.

— Je suis pas... tu m'écoutes pas.

— Ben oui, je t'écoute. Il y a des choses que les parents veulent et qui arriveront jamais. Je serai jamais un génie, tu vas virer *butch*, on n'y peut rien et eux non plus.

— *Butch* ?

— Une lesbienne qui a l'air d'un gars, Éloïse, explique Joël. Est-ce que c'est juste ça que tu voulais me dire ?

Encore cette histoire de lesbienne ? Pourquoi tout le monde pense que... Et puis, est-ce que j'aime les filles ? Ça ne me prend que deux secondes pour comprendre que qui je suis et qui j'aime sont deux trucs totalement séparés. Je n'ai pas envie de penser à ça, là, maintenant.

— Je veux être comme toi à l'extérieur. Tu sais... la barbe et tout le reste.

— Tu peux pas avoir de barbe, franchement.

— Je veux voir ce docteur-là.

Je tends le papier tout froissé à mon frère.

— C'est qui ?

— Il s'occupe des transsex...

— OK, Éloïse, écoute... tu peux pas...

— Non, toi, écoute.

— Je t'écoute ! soupire-t-il, exaspéré.

Je crie.

— Oui, t'écoutes, mais t'entends pas !

Un autre silence. Très long. Est-ce que je pleure ? J'essuie mes joues avec rage.

— C'est dur à expliquer, Joël. Je ne me sens pas comme une fille. Je... je suis sûr que je suis un gars en dedans et je veux voir ce docteur-là et ça coûte cher. J'ai pas assez de sous.

— Élo, tu peux pas voir un docteur toute seule, il faut les parents. Et si tu racontes cette affaire-là à papa, il va t'engueuler.

— C'est pour ça que je veux lui dire que je vais payer. Parce que, ce monsieur-là, il peut m'aider. Je veux qu'on m'aide, Joël.

— Mais à quoi ?

— À changer de sexe.

Grosse expression qui ne veut pas dire grand-chose pour moi, mais qui a beaucoup d'effet sur mon frère. Je pense qu'il s'apprête à rire de nouveau, mais mon visage l'en dissuade. Il me dévisage et j'essaie de soutenir son regard en essuyant mes yeux toutes les trois secondes.

— T'es sérieuse ?

— J'ai mal, Joël.

Je ne sais pas quoi dire de plus. La tête baissée vers mes genoux, je sens les mains de mon frère autour de moi et je me retrouve entre ses bras de joueur de football. Je résiste à l'envie de le repousser. Je sais qu'il pense bien faire en me touchant.

— Je comprends pas ce que tu souhaites au juste, soupire-t-il. Tu veux vraiment pas être une fille, Élo ?

– Il y a quelque chose qui marche pas, que je chuchote dans son chandail. Je suis pas une fille. J'ai besoin de parler à quelqu'un qui en a vu d'autres comme moi, qui va me dire quoi faire, me soigner. Et j'ai besoin d'argent parce qu'il ne faut pas que les parents disent non.

Mon frère m'éloigne de lui. Je ne pense pas qu'il soit d'accord, je ne pense pas qu'il comprenne que je n'ai pas d'autres choix. Pour lui, comme pour la majorité des gens, des personnes qui passent d'un corps de gars à un corps de fille, ça se peut, mais le contraire ? C'est impossible. Je suis impossible.

Finalement, Joël se lève. Il a une tirelire en forme de ballon de football sur le dessus de sa commode. Il en sort des billets de vingt dollars.

– Combien tu veux ?

– J'ai 110 dollars, mais j'ai lu que ça coûtait plus.

– *My God*, tu sais ce que tu pourrais faire avec autant d'argent ?

Je ne réponds pas. Je me fiche pas mal du nombre de jeux vidéo que je pourrais m'acheter ou des films que je pourrais aller voir avec mes économies.

Joël soupire.

– Élo, tu le sais que ce médecin-là va juste te revirer de bord en te riant au visage, hein ? Où t'as eu son nom d'abord ?

– S'il peut rien faire pour moi, je suis bon pour l'asile, c'est clair.

– Ah, ça, ça fait longtemps que je te le dis, lance mon frère en riant.

– Tu vas m'aider à convaincre maman et papa ?

– Les convaincre de quoi ? Que tu peux te faire pousser un pénis ?

– Joël...

On se regarde un moment et je vois la résignation dans son regard. Je me fiche qu'il me prenne au sérieux ou pas, j'ai juste vraiment besoin qu'il soit de mon côté.

– Tiens, dit-il en me tendant un paquet de billets. Si je m'engueule avec les parents pour toi, t'es mieux de faire au moins trois semaines de pelouse, c'est clair ?

Je ne descends pas voir mes parents tout de suite, je suis juste... trop... je ne sais pas. Je suis content d'avoir finalement assez d'argent pour pouvoir dire à mon père : « Regarde, je suis sérieux, je vais payer, tu peux pas dire non », mais apeuré de provoquer un deuxième Hiroshima dans la salle de séjour. Je veux aussi trouver des mots. Je l'ai dit à Joël. Il ne m'a pas cru, mais ce n'est pas si important. L'important, c'est qu'on m'aime quand même et je pense que... je pense que mon frère m'aime quand même un peu.

Le lendemain soir, à la fin du souper, Joël me regarde et lance :

— Je te jure, si tu m'as pris cent piastres pour niaiser, je t'assomme.

— Qui a pris cent dollars à qui ?

J'évite le regard de mon père. Je ne suis pas prêt, je n'ai pas collectionné tous les bons mots, je voulais attendre un peu, mais, avec son commentaire, mon frère vient de me couper l'herbe sous le pied. Je murmure, les yeux sur mes pâtes :

— Il y a un médecin que je voudrais aller voir.

— Mais pourquoi ? me demande ma mère, incertaine. Tout va bien, Éloïse ?

— Non, je...

J'hésite, regarde Joël. Il sait qu'il va y avoir de la bataille, je le vois sur son visage. Son air mi-résigné, mi-excité face à la dispute qui va suivre me force à me redresser sur ma chaise.

— Je sais que vous allez dire que je niaise et que je suis trop jeune pour dire des affaires comme ça, mais je... Je suis un gars, moi, et je...

Le verre de mon père frappant la table nous fait tous tourner les yeux vers lui. Il essuie l'eau qui a éclaboussé sa main.

– T'es pas tannée ? hurle-t-il. De toujours raconter la même affaire ? « Je me sens gars et je veux pas porter des robes, je veux, je veux, je veux... »

– Peut-être qu'elle a un peu raison alors ? propose Joël presque en chuchotant. Si elle le dit tout le temps...

– Bon, qu'est-ce que t'es allée lui raconter encore ?

– Je...

– Elle m'a juste dit qu'elle était pas bien, papa, m'interrompt mon frère. Et qu'elle voulait voir un doc. Ça fait des années qu'elle raconte la même chose, je pense que ça vaudrait peut-être la peine de voir un autre psy.

– Pour quoi faire ? T'en as vu deux, Éloïse, deux ! Crime, t'es une belle fille ! Tu vas être encore plus jolie en vieillissant, regarde maman ! C'est quoi ton problème ?

– C'est vrai, Lili..., dit ma mère. Tu sais que ta tête et la réalité, c'est pas la même chose, hein ?

Je chuchote :

– Je sais, que... mais je... ça pourrait être pareil. Mon corps est pas correct, c'est pas ma faute. Ce médecin-là, il en a vu beaucoup, des gars comme moi.

– Des gars comme toi ? Écoute-toi parler !

Je baisse la tête, les mains moites. Je serre les poings parce que je ne veux pas me gratter.

– Curtis, arrête de crier, ordonne ma mère.

C'est le prénom de mon père. Curtis Gallagher, c'est très irlandais ; ma grand-mère paternelle aimait les traditions. Je ne l'ai jamais connue, c'est peut-être mieux comme ça. Je ne voudrais pas mettre quelqu'un d'autre en colère.

– Mais tu l'entends parler, Danielle ?

– Oui, mais crier aide pas du tout, voyons..., argumente ma mère avant de poursuivre : Écoute, ma chouette, tu t'entends bien avec Carolanne, pas vrai ? (Je fais oui de la tête.) Et tu aimes lire tranquillement et jouer avec Gabriel ? (Je fais encore oui.) Et on magasine bien ensemble, toi et moi ? (Troisième oui.) Tu vois, Joël, il déteste ces trucs-là... Vous êtes différents, lui et toi, tu comprends ? Un gars et une fille.

Je sais qu'elle a tort. Les choses que j'aime ne définissent pas qui je suis.

Mon père est rouge pivoine, mais je n'ai pas envie d'arrêter de parler de ça, je *dois* voir le bon docteur, même s'ils ne comprennent pas pourquoi.

– Est-ce qu'on peut prendre rendez-vous avec le médecin pareil ?

– Elle comprend rien du tout, grommelle mon père. On ne va pas faire perdre son temps à un psy en plus de perdre de l'argent pour tes niaiseries, est-ce que c'est clair ?

– J'ai l'argent, que je m'empresse de dire. Je vais le payer.

Mon père se tourne instantanément vers Joël qui, lui, me fixe, les sourcils froncés. Il a presque l'air admiratif, mais je dois rêver.

– J'ai dit non ! tonne mon père.

Je lance un regard implorant à ma mère et elle soupire :

– Il a raison, Lili. Il faut grandir...

Honteux, je ne dis rien. Je veux grandir. Mais pas dans ce corps ; j'ai besoin d'aide pour grandir comme il faut... Et sans l'accord de mon père, je ne peux pas aller voir ce docteur, ma mère prône l'unanimité. La sacro-sainte unité familiale... Et mon harmonie, à moi ?

À la maison, depuis une semaine, c'est la guerre froide entre ma mère, mon père et moi. Joël ne s'en mêle pas, mais je vois bien qu'il en a envie. Je ne veux pas savoir de quel côté il va pencher. Pascal me dit de recommencer, d'essayer encore.

– J'aimerais presque pouvoir parler à monsieur Gélinas, que je soupire.

C'est l'été, l'école est fermée. J'aurais dû accepter de prendre son numéro de téléphone quand il me l'a offert. Son insistance me manque.

– Tu vas attendre tes quatorze ans ?

Je fronce les sourcils, redresse mon *skateboard* en appuyant mes orteils sur l'extrémité. Pascal arrête son vélo et se tourne vers moi.

– Pourquoi mes quatorze ans ?

– Parce que, à partir de quatorze ans, tu peux voir un médecin sans que tes parents le sachent.

– Pour vrai ?

Je ne savais pas ça ! Il n'y a pas tellement de gars ou de filles comme moi qui comprennent si tôt. Et Internet ne dit pas grand-chose. Tout ce que je sais, c'est que, ici, au Québec, il faut avoir seize ans pour commencer les hormones et dix-huit ans pour se faire opérer. Et je sais qu'il y a ce sauveur... ce docteur pour nous, les plus jeunes. Quatorze ans. Dans onze mois. Je peux attendre.

Je viens de prendre ma douche et je suis étendu sur mon lit. Toute la semaine, je me suis battu contre la colère. Battu pour ne pas me battre. J'ai tellement envie de frapper sur quelque chose !

Étranger, différent, inhumain, même. Je n'en peux plus d'être si loin de tout, de crier et de n'entendre que ma voix qui me revient en écho parce que je suis tout seul. Il y a des moments où, assis avec les autres ados du camp de jeunes, le dos contre le mur, je les regarde interagir entre eux et tout va trop vite autour de moi, comme dans les films : le personnage principal ne bouge pas et tout tourne autour en accéléré. J'ai souvent envie de crier : « Comment vous faites ? Que quelqu'un m'explique comment être bien ! » Je dis rien, personne ne peut m'expliquer, parce que personne que je connais n'a l'impression d'être double, n'a l'impression que tout cloche quand il se regarde. L'impression d'avoir été l'objet de la pire blague sur Terre. C'est tellement injuste !

Rageusement, je lance mon oreiller à travers la pièce. Il attrape mon coffre à crayons sur mon bureau et le fait glisser un peu. Pas assez pour le faire tomber. Je ne suis même pas foutu de faire tomber un coffre à crayons ! Je me lève, le pousse par terre. Attrape un livre, le projette sur le mur. Et puis les draps, tiens ! Je pense que je crie en même temps, mais je ne sais pas. J'entends juste mon cœur qui bat dans mes oreilles.

J'ai envie de retourner à la salle de bain et de reprendre les ciseaux. Plutôt, je frappe sur ma porte fermée. Encore et encore ! Elle branle, ça me fait mal aux mains, mais on s'en fout ! Je lance un cahier contre la fenêtre, j'ouvre un des tiroirs de ma commode avec tellement de force qu'il se déloge et me frappe en plein ventre, me fait trébucher. Je tombe sur le bord de mon matelas et me ramasse par terre.

La porte de ma chambre s'ouvre à la volée.

– Qu'est-ce qui se passe ? me demande mon père.

Derrière lui, je vois ma mère et, bientôt, Joël. Je pense à une réponse stupide du genre « je redécore », mais rien ne sort de ma bouche. J'ai des larmes plein la gorge et tout ce que j'arrive à faire, c'est fermer les yeux.

– Si c'est un acte de rébellion parce que je veux que tu mûrisses, va falloir t'y faire, ma petite, lance mon père.

– Je te l'avais dit, soupire Joël alors que notre père redescend les marches.

Maman le suit après m'avoir lancé un regard d'avertissement.

– Viens, je vais t'aider...

– Laisse-moi tranquille...

Il lève les yeux au ciel, tourne les talons. Je ne bouge pas, le souffle court, mon tiroir sur les jambes. Dans un an, c'est sûr que je vais avoir de plus gros seins. Et puis je vais peut-être saigner et ma voix va rester aiguë et je vais... J'essuie mes yeux. Je suis trop fatigué. Juste *trop.* Je ne peux pas attendre mes quatorze ans.

Il doit être très tard parce que je me suis endormi et, habituellement, j'ai toujours de la difficulté à m'assoupir. Il fait noir. Qu'est-ce qui m'a réveillé ?

– C'est du chantage ! rage mon père.

Ah, mes parents se disputent. Je n'aime pas surprendre ce genre de truc. En fait, « surprendre » n'est pas le bon mot ; ils crient tellement fort que toute la ville les entend sûrement...

– Comment tu le sais ? réplique ma mère. J'ai peur pour elle. Tu l'as vue tantôt ? Tu l'as vue depuis qu'elle est petite, oui ou non ? Je te l'ai déjà dit, elle va pas bien !

– Elle est toujours perdue dans ses idées bizarres, c'est sûr qu'elle va pas bien, je suis pas aveugle, bordel !

– Justement ! Si elle est perdue dans sa tête, ça ne peut pas lui faire de mal de voir un autre psy ! Pourquoi pas lui ? Au moins, elle va peut-être coopérer et mûrir un peu !

Je plaque mes mains sur mes oreilles. Je ne veux pas en entendre plus. Moi qui me demandais s'ils voyaient quelque chose ou s'ils voulaient seulement ne rien voir, j'ai ma réponse. Ça me fait encore plus de peine, je pense, de savoir qu'ils ne sont pas venus me demander pourquoi je ne vais pas bien...

J'ai mal aux mains. Je les décolle. Plus un son.

Le lendemain, ma mère entre dans la cuisine avec le papier sur lequel j'ai écrit le numéro du docteur.

Elle prend le téléphone et je me redresse, anxieux. Il y a des soupirs entre tous ses mots ; elle est vraiment résignée.

Quand elle raccroche, elle me regarde, assis à la table de cuisine. Elle ne dit rien et sort de la pièce. Je me lève et je vois ce qu'elle a noté sur le calepin de messages à côté du téléphone : une adresse courriel, un numéro de télécopieur, une date. Il est aussi écrit : fournir historique, petite biographie.

J'ai rendez-vous dans 29 jours.

13 ans 2 mois

Quelques jours avant mon rendez-vous, ma mère me dit, lorsque le film que j'écoute au salon se termine :

— Tu dois écrire un truc pour le docteur. Raconte ton point de vue sur... tout ça.

— Je l'ai déjà fait. Le jour où tu as pris rendez-vous.

Elle me dévisage, surprise. Depuis qu'elle a téléphoné, elle a tenté de me parler plusieurs fois, mais on dirait qu'elle a aussi peur que moi. J'aimerais arriver à dire quelque chose moi aussi. Après tant d'années de silence, je n'ai pas l'habitude des confidences. Mon père, lui, ne fait que marmonner : « Qu'est-ce que j'ai fait pour avoir un enfant à problèmes comme ça ?... »

Enfant à problèmes. C'est le titre qu'on m'a donné dès la rentrée scolaire. L'enfer vient de commencer pour moi. Je déteste l'école et c'est clair que celle-ci me déteste aussi. Pourquoi, sinon, on me mettrait avec les filles en classe ?

Et les toilettes ? Dans les centres commerciaux, j'y vais avec ma mère, mais, à l'école, je suis tout seul. Le premier jour, je marche vers les toilettes des garçons, y entre, urine. Quand j'en sors, je croise un gars plus vieux qui va rapporter que je suis allé du mauvais côté. Ça fait rire bien des gens. C'est « adorable », qu'ils disent.

— La prochaine fois, ma belle, m'explique l'éducatrice, trouve les toilettes avec une petite madame en jupe dessus. Tu peux aller là.

J'imagine ma tête : un sourcil levé, perplexe, l'air de dire : « Mais de quoi tu parles ? » La madame en jupe... c'est le bonhomme qui est sur les toilettes que ma mère utilise. Ce n'est pas ma place.

Le lendemain, je rencontre quelqu'un dans la salle de bain. Un garçon avec des lunettes et des cheveux noirs.

— Tu n'as pas le droit d'être ici ! objecte-t-il.

— Je suis un garçon moi aussi, que je réponds avant d'entrer dans le cabinet.

Quand je ressors, il est toujours là, la tête penchée sur le côté avec un petit air de belette perdue et il me dévisage.

— Tu ressembles à une fille, dit-il.

Je hausse les épaules et on sort ensemble. Tout sérieux, il me tend la main.

— Je m'appelle Pascal. Toi, c'est quoi ?

— Éloïse. Tu peux m'appeler Jack aussi, si tu veux.

– C'est un nom de fille, Éloïse.

– Je sais...

En éducation physique, je ne veux pas me changer avec les filles. Je veux rester avec Pascal ! Lui et moi, on ne s'est pas quittés depuis deux jours ! Mais on m'y oblige et j'entre avec les filles. Et je vois. Leur corps, le mien. Qui sont si... semblables. La division entre filles et garçons me rentre dans la tête comme un clou qu'on veut insérer dans le béton. Je ne veux pas être avec elles, je ne m'y sens pas à ma place du tout. Pourtant... nous sommes « pareilles »... Alors pourquoi j'ai l'impression d'être différent d'elles ?

Les éducateurs ne savent plus quoi dire pour me faire comprendre que chaque sexe a ses toilettes. Je ne suis pas stupide, j'ai saisi. Ce qu'eux, ils ne veulent pas comprendre, c'est que la madame en jupe, ce n'est pas moi et ce ne sera jamais moi.

Les semaines passent. On dirait que la réalité m'a écrasée. Le clou est entré, il a cassé ma façade, je suis craquelé, bon pour une période de soumission. Je suis Éloïse, le garçon que tout le monde voit comme une fille. Comme si... comme si on me poussait vers la droite, mais que tout mon intérieur voulait aller à gauche. Avant l'école, ça ne faisait pas si mal. Au moins, j'ai Pascal. Il ne fait pas mal, lui.

C'est le 22 juillet, à onze heures. Mon rendez-vous. Il fait super chaud, trop même, mais, dans l'hôpital, j'ai presque froid. En chemin, on croise un petit garçon sans aucun poil sur le caillou et une femme âgée qui pousse son fauteuil roulant. Je pense à ma grand-mère. Je vais encore les voir au cimetière régulièrement, mon grand-père et elle.

Dans l'ascenseur, il y a deux infirmières.

– Le poulet était sec aujourd'hui, tu ne trouves pas ? demande l'une à l'autre.

Nous passons près d'un docteur retirant sa blouse blanche. Il a un chandail de Metallica dessous. C'est *cool*.

J'ai envie de courir jusqu'au bureau du médecin, mais je veux aussi tellement me raccrocher à tout ce qui est extérieur. J'ai peur.

Nous nous asseyons dans la salle d'attente et, à peine cinq minutes plus tard, une femme se présente devant nous.

– Monsieur et madame Gallagher ?

Elle ne m'ignore pas ; elle me regarde en parlant à mes parents.

– Ma fille, Éloïse, me présente mon père.

Elle sourit un peu, mais je suis trop stressé pour lui rendre la pareille. Je suis impressionné, je pense. Et puis, je croyais que ce serait un homme...

– On va passer dans mon bureau, d'accord ?

La suggestion est pour moi, mais mes parents s'avancent et je m'écrase sur ma chaise. Je ne veux pas qu'ils viennent, je n'arriverai pas à parler s'ils sont là.

– Vous pourrez revenir dans une heure, leur indique la femme. Vous verrez le docteur.

Ce n'est pas une vraie docteure, alors ? Je ne comprends pas. Elle fait quelques pas dans le corridor et ouvre une porte. Je sens le regard de mes parents dans mon dos.

Le bureau est grand, avec une table à dessin, des jeux, mais aussi des trucs d'adultes : des gros livres, des plantes. Je regarde autour, gêné. Il y a un ventilateur dans le coin du bureau, près d'un cactus et d'un paquet de feuilles. Sur une chaise, j'aperçois deux poupées. Grossièrement cousues, nues, avec des sexes visibles. Je soulève la poupée garçon et je touche le pénis en tissu. Pour aussitôt devenir mauve de honte en me rendant compte que la femme me regarde, les mains croisées devant elle.

On s'assoit et elle commence :

– On va parler, toi et moi, d'accord ? Mes questions sont gênantes, mais c'est seulement pour mieux savoir comment t'aider. Ensuite, il viendra te voir.

« Il », le docteur. Je n'arrive même pas à hocher la tête. Je suis tellement intimidé. Gandalf m'aurait fait moins d'effet, je pense. Je porte un t-shirt à mon frère et des shorts larges, mais j'ai encore les cheveux longs et un visage de fille. Au moins, j'ai caché ma poitrine sous d'épais chandails. Ce doit être pour ça que j'ai si chaud maintenant.

– Comment tu t'appelles ? me demande-t-elle.

Pourquoi cette question ? Je regarde la pile de papiers sur le bureau.

– Ton dossier dit un nom, mais... est-ce qu'il y a un nom que tu préférerais que j'utilise ? Un nom de garçon, par exemple ?

J'ouvre de grands yeux. Je suppose que je dois avoir l'air stupide, assis là, éberlué au possible. J'ai l'impression que trois millions de tonnes de pression viennent d'être soulevées de mes épaules. J'ouvre la bouche pour parler, mais rien ne sort. Et je pleure. Braille. Je ne sais trop à quoi je pense en pleurant, je me sens tellement soulagé ! J'entends des « enfin, enfin ! » en litanie dans ma tête.

Lorsque je finis par me calmer, je pourrais me rouler en boule et dormir deux jours. La femme n'a pas arrêté de me donner des mouchoirs et finalement, super embarrassé, je dis :

– Éloi, j'aimerais... Éloi.

Elle sourit en me tapotant l'épaule.

– Éloi ce sera, alors.

Elle me fait penser à monsieur Gélinas. Les muscles en moins. Elle me demande si je vais bien, si je suis déprimé. Elle veut savoir ce qu'il y a en dedans. J'ai de la difficulté à répondre, on dirait que je passe un test. Elle me demande si j'aime les filles aussi. Je ne sais pas. Je pense que non. Pourquoi on me demande ça tout le temps ?

— Si je te dis que, du jour au lendemain, on avance de dix ans, commence-t-elle. Et que tu peux être ce que tu veux rendu là. Tu es qui ?

J'hésite. Si je ne réponds pas bien, je coule le test, je le sens.

— Je suis... je suis moi, que je dis, les yeux sur le cactus. Juste... dix ans plus vieux. Et j'ai moins peur, j'espère.

Quand je la regarde, elle a la tête penchée sur le côté. Son regard est presque attendri, je trouve. Comme était celui de ma grand-mère. Oui, exactement comme ça.

— Et tu ressembles à quoi ?

— À... J'aimerais ça ressembler à mon père. Mais sans les sourcils froncés. Il met souvent des complets et je... je trouve ça beau. Je vais avoir les cheveux courts et, si vous dites que je peux... je vais... je vais avoir de la barbe. Pas de seins...

Je baisse la tête, gêné. Pourquoi j'ai répondu tout ça ? Elle va rire...

Avant qu'elle n'en ait le temps, on cogne à la porte. C'est lui, l'homme à la blouse blanche. Avec un sourire, la femme se lève. Elle chuchote, j'entends quelques trucs :

– ... Très fragile... a beaucoup pleuré...

Je me trouve fragile aussi, comme si on pouvait me casser juste comme ça, en me poussant par terre. Est-ce que, un jour, si je tombe, il faudra quelqu'un de très fort pour me briser et m'empêcher de me relever ?

– Vraiment intelligent, est en train de dire la femme. Je pense que... Ah, et puis, il préfère le prénom Éloi.

À cette mention, les sourcils du docteur se soulèvent. Je détourne le regard. La femme me remercie de lui avoir parlé et l'homme s'avance. Je crois que je l'aime bien. Ou mon opinion est biaisée, je ne sais pas. Je trouve qu'il a l'air serein.

– Ma collègue m'assure que tu es très mature pour ton âge et j'ai pu le constater en lisant ce que tu nous as envoyé... Alors je vais te parler comme je parle aux plus vieux, d'accord ? Qu'attends-tu de moi ?

J'ai de la difficulté à penser. Après avoir trimballé son nom si longtemps avec moi, le voir, là, si réel... ça me fait peur.

Je bafouille :

– Je... J'ai lu que... que quand la tête et le corps ne vont pas ensemble, on ne peut pas arranger la tête... Que c'est le corps qui doit être changé.

– C'est vrai, acquiesce-t-il, un demi-sourire aux lèvres.

– Est-ce que vous pouvez aider avec ça ? Avec mon ami Pascal, on a lu et... il y a un truc qui...

Je m'arrête, soupire. Je ne veux pas encore pleurer. « Très fragile », a dit la femme. C'est près de *trop* fragile.

– Je veux pas saigner, que je marmonne. Est-ce que je peux avoir des pectoraux ?

L'homme laisse aller un petit rire. Son sourire brille et ça me rassure un peu. S'il me trouve drôle, il va peut-être m'aider. Il me demande d'attendre une seconde et sort. Mes parents entrent dans la pièce. Mon père regarde le docteur, défiant. Il ne l'aime pas, c'est évident.

– J'aimerais que votre enfant fasse quelques prises de sang, commence le docteur. D'ici un mois, on pourrait se revoir, ajoute-t-il à mon intention. Tu devras parler avec un psychologue.

– Je ne vois pas en quoi c'est nécessaire, dit mon père.

– Nous verrons, répond le docteur. Je pense que votre enfant a beaucoup de choses à dire. Le corps change vite à son âge, c'est effrayant, surtout pour un enfant trans...

– C'est ma fille ! lance mon père en me pointant. Elle prétend qu'elle est un garçon et vous la croyez ? Comme ça ? ajoute-t-il en claquant des doigts.

Le médecin, calmement, secoue la tête. Si lui ne va pas exploser, moi si...

— C'est pour cette raison que je tiens à ce que votre enfant revienne parler avec un des membres de mon équipe. Pour qu'on démêle les choses... Il existe un truc appelé « bloqueurs d'œstrogènes » qui...

Il arrête de parler, me regarde. Je pense que j'ai inspiré trop fort. Je veux ça. Je n'espère plus un pénis à mon réveil, je veux cette piqûre qui dit à ton cerveau : « STOP, ralentis, tu travailles dans le mauvais sens ! » Ça arrête la puberté, les bloqueurs. Je pensais que j'étais déjà trop vieux et mes seins me font sentir super mal à l'aise. Avec les bloqueurs, je ne saignerai jamais ! Je n'aurai pas de plus gros seins, je...

— Oubliez ça. Allez, on s'en va.

Sans attendre, mon père se lève et sort du bureau. C'est si soudain que, pendant une bonne minute, personne ne dit rien. Ma mère ne bouge pas.

— Vous savez, poursuit le docteur lentement, la notion de transsexualité est très complexe. Ce que nous faisons ici, c'est tenter de rendre les gens à l'aise dans leur propre peau. C'est tout...

Ma mère a l'air désemparée, les mains reposant sur son ventre rond.

— Est-ce que... Est-ce que c'est génétique, cette... tout ça ?

Je baisse la tête vers mes genoux. Elle s'inquiète pour le bébé à cause de moi.

– Rien ne le laisse penser, répond le docteur. Les chances que ça se reproduise sont presque inexistantes, voire nulles.

Il lui tend un papier.

– Voici les prises de sang à faire, d'accord ? Il faut laisser le temps au temps bien souvent, mais l'horloge tourne, sa puberté est déjà là...

Mes yeux se remplissent d'eau et, quand ma mère me jette un coup d'œil, je sais qu'elle le voit. Est-ce qu'elle me croit maintenant que c'est un adulte qui le lui dit ?

Alors que nous marchons dans le corridor à la rencontre de mon père, parti je ne sais où, je me souviens de quelque chose.

– Je reviens ! que je lance en courant vers le bureau du docteur.

Je cogne et sa voix m'indique que je peux entrer. Je m'approche, sors les billets de banque de ma poche. Il faut que je le paie, non ?

– Tu as une carte d'assurance maladie, m'explique le médecin. C'est gratuit.

– Oh.

Il rit, repousse doucement ma main. Je suis sûr que, le soir, quand il rentrera chez lui, il va raconter ça à sa femme. Comment un petit bonhomme tout frêle a pleuré sa vie dans son bureau et comment le même bonhomme a voulu le payer pour son empathie...

– Pascal ?

– Comment ç'a été ? me demande mon ami au téléphone.

Je me couche sur mon lit, les pieds sur mon oreiller, la tête pendante en bas du matelas. Je perçois tout à l'envers, mais j'ai l'impression de voir tellement clair ! Même si on a peu parlé, le docteur et moi. Et que mon père est très en colère.

– T'es vraiment le meilleur de m'aider..., que je dis.

– Nah, réplique-t-il alors que je peux entendre le sourire dans sa voix. C'est toi le meilleur. Alors, raconte ! Tu te sens mieux déjà ?

Quand je retourne à l'hôpital, je vois une psychologue, une stagiaire aussi. Je dis les mots « garçon manqué », ils disent seulement « garçon ». Ils me parlent comme si je pouvais avoir une opinion sur ma propre identité. Mes mots maladroits sont entendus, chaque petit geste, comme prendre la poupée, est compris. « Je ne sais pas » n'est pas une admission de féminité. Je ne suis certain de rien ; je ne sais pas ce que je veux de ma vie, de mon corps et, avant, je me serais senti idiot de ne pas avoir les réponses, mais avec ces docteurs, c'est normal. Normal.

Septembre s'achève, j'ai recommencé l'école, mais rien n'est plus pareil. Je n'ai rien dit à Carolanne, je n'y arrive pas. Elle va me poser des tonnes de questions, je n'en ai pas envie, c'est mon secret. Je vois encore la psychologue, elle ne me fait pas peur. J'aurais aimé le dire à Paul Gélinas, mais il n'est plus là. Je ne sais pas pourquoi il me manque autant, c'est idiot...

En début d'année, j'avais presque hâte de le revoir, de lui dire qu'il avait raison, qu'en parler avec mes parents avait été une bonne idée malgré les disputes. J'ai attendu deux jours avant de me présenter dans le corridor réservé aux professeurs.

– Oh, monsieur Gélinas ne travaille plus dans notre école, ma chouette, m'a informé la secrétaire. Il a décidé d'aller ailleurs.

– En fait, il a été transféré, je crois, a corrigé l'autre secrétaire, tendant des papiers à la première. En Ontario, ou quelque part dans ce coin-là. London, en Ontario, oui, c'est ça. Je crois.

Pendant un moment, je n'ai rien dit.

– Mais il y a monsieur Hould maintenant, a renchéri la première secrétaire. Tu peux prendre rendez-vous avec lui si tu veux.

– Non.

J'ai parlé vite et mon ton était sec. Les deux femmes ont haussé les sourcils, perplexes.

– J'ai pas besoin de parler, c'était juste... C'est pas grave, merci.

Je suis vraiment déçu. J'aurais aimé pouvoir le remercier.

Au moins, il y a encore le docteur de l'hôpital. Avec lui, on parle surtout de transition, de ce que je veux changer ou pas. Je discute seul à seul avec une psychologue, je me sens enfin écouté. Plus libre dans mon propre corps.

– Ce serait avantageux pour Éloi de commencer à prendre des bloqueurs, déclare le docteur à mes parents après deux mois de thérapie.

– Vous n'allez pas droguer ma fille !

Ça, c'est mon père. Évidemment.

– Ce n'est pas une drogue, c'est une pause, monsieur. Si Éloi décide de ne pas « transitionner », on arrête tout et sa puberté reprendra son cours.

Une pause. C'est ce dont j'ai besoin. Il y a des gens qui pensent que, quand tu es trans et que tu sais que tu peux avoir des hormones un jour, tu es sûr de ton coup, là, tout de suite, tu les veux. Que le chemin est tracé dans ta tête : hormones et toutes les coupures possibles, merci, bonsoir. J'ai besoin de temps pour ne pas paniquer. J'ai peur de ce qui change. Je veux me reposer, arrêter de me battre contre quelque chose pendant une seconde.

Mon père secoue la tête. Il trouve stupide qu'un médecin qui a fait des années d'études se fasse dire quoi faire par un enfant de treize ans. Il dit que le doc ne devrait pas m'encourager en changeant mon nom comme je le veux.

– Ce ne sont pas tous les enfants qui peuvent avoir cet avantage et je crois que ça pourrait être bénéfique pour Éloi. Il n'aura pas les désagréments qui arrivent avec sa puberté. Pensez-y, mais il faut faire vite. Et s'il décide de faire une transition lorsqu'il sera en âge, les changements seront plus concluants, l'opération de la poitrine, plus simple.

Ma mère me regarde, soupire. Le fait que je voie un psy spécialisé dans les troubles du genre et que je me dise garçon fait son chemin dans sa tête, je m'en rends compte. Je vais mieux, je ne me suis pas coupé depuis un mois, mais ça, elle ne le sait pas. Mon frère, lui, m'appelle parfois Éloi, même s'il se trompe une fois sur deux.

– Tu veux vraiment te faire piquer tous les mois ?

Je hoche la tête pour dire oui. La menace de la puberté est là, dans mes veines, elle attaque et je suis sans défense. Elle se fiche des mots, la puberté.

À la maison, c'est la guerre.

– Qu'est-ce que tu veux au juste ? me crie mon père. Tu as tout ce dont tu as besoin, arrête tes caprices !

– C'est pas un caprice...

– Tu te rends pas compte ! Éloïse, bordel ! Ne viens pas me dire que, dans dix ans, tu vas encore être comme ça, c'est sûr que non !

Je respire fort, il respire fort. Une chance que ma mère n'est pas là ; les cris, ce n'est pas bon pour le bébé.

– Dans dix ans, je veux être comme toi ! que je hurle.

Ma réplique le prend au dépourvu et il arrête de faire les cent pas. Je continue :

– Tu m'écoutes jamais ! Je sais que tu veux que je sois normal ! Je le suis pas, mais c'est pas ma faute ! Je veux pas de tout ça, mais j'attends et ça change pas !

– Fais plus d'efforts !

– Jusqu'où ?

Je crie tellement fort que j'ai mal à la gorge, comme si on y passait du papier sablé.

Garçon manqué

– Ça fait mal, papa, tu comprends pas ?

– T'es ma fille ! lance mon père.

– Je suis pas une fille !

13 ans 6 mois

J'ai une sœur ; elle s'appelle Annabelle. J'espère vraiment qu'elle ne sera pas comme moi. Comme ça, mes parents auront deux enfants normaux. Je lui ai demandé. Si elle était une vraie fille. À l'hôpital, quand je l'ai prise pour la première fois. Elle était toute fripée et elle me regardait, les yeux à peine ouverts. Est-ce qu'elle voyait un frère ou une sœur, je me le demande. Ça porte attention à ce genre de trucs, les bébés ?

– Tu dois être comme les autres filles, d'accord ? lui ai-je chuchoté ce matin. Comme ça, ils vont me laisser être un garçon puisqu'ils vont t'avoir, toi.

C'est égoïste, je sais. Plus que narcissique, je pense que c'est vraiment déprimant que je me tourne vers une petite chose qui vomit et qui pue pour avoir un peu de soutien... Comme si ma sœur de deux mois pouvait m'aider à faire accepter ma transsexualité... Elle ne fait que me réveiller la nuit, elle ne sait rien faire d'autre. Encore moins me sauver.

Le secondaire, c'est dur. Tout le monde change. Pascal change. Carolanne change. Avant, elle ne disait rien quand je me pointais chez elle avec un vieux chandail et les shorts de mon frère alors qu'elle passait longtemps à se préparer, mais maintenant, c'est presque un drame.

– Enlève ta casquette, t'as l'air de mon frère, se plaint-elle. Je te comprends pas.

Moi non plus, je ne la comprends pas. Quand on est ensemble, je pense tout le temps aux mots que je devrais prononcer, mais rien ne sort. J'ai un mauvais pressentiment.

Hier, elle est allée acheter des vêtements avec Roseline et d'autres filles. Sans moi. Pas que j'aime vraiment magasiner, mais elle m'appelait, avant. Maintenant, je dérange.

– Tu devrais lâcher ton *skate*, me recommande Carolanne lorsqu'on se revoit le lundi, à l'école. T'as l'air *weird*...

– Comment ça ?

Je regarde mes vêtements, inquiet. C'est sûr, mes cheveux sont emmêlés, mais ce n'est pas ma faute ! Il y a beaucoup de vent... Vivement que je les rase ! Et puis, mon chandail est correct, non ? C'est un chandail de Johnny Depp dans *Edward aux mains d'argent* ! *Come on* ! Je rattache la chemise de mon uniforme. Je devrais peut-être laver mes Converse...

— Tu mets plus la jupe de l'école, note Carolanne, tu te maquilles jamais, pas même un petit peu, tu ronges tes ongles, t'es pas capable de fermer les jambes quand t'es assise.

Elle pointe mes genoux et je ferme les cuisses. Tire sur le devant de mon chandail. J'en ai deux autres sous celui du film. Pour être sûr que rien ne paraît.

— J'ai pas le goût de me tenir avec quelqu'un qui a l'air de sortir d'une caverne.

Elle exagère ! Je prends ma douche, quand même !

Je marmonne :

— Désolé.

J'ai trouvé un truc. Sur Internet, ça dit que c'est dangereux, mais je m'en fiche, ça marche ! Joël s'est fait une entorse au football et il doit mettre un bandage sur sa cheville. Il dit que c'est trop serré... Ça m'a donné une idée et, enfin, mes seins ne paraissent presque plus ! J'enroule le bandage autour de ma poitrine et le tour est joué ! Ça m'empêche de bien respirer, mais c'est toujours mieux que de porter trois chandails !

Quand j'arrive chez Carolanne le samedi, elle remarque tout de suite que ma petite poitrine a disparu.

– Ils sont où, tes seins ? T'as encore mis trois millions de chandails ?

– J'aime ça comme ça.

– Y a juste toi qui fais des affaires de même...

Il y a juste moi qui suis comme je suis, aussi...

Je vais dîner à la maison et, quand je reviens avec mon *skate*, ma casquette et tout le reste, nos amis et elle sont assis sur la véranda pour profiter de l'une des dernières belles journées avant la neige.

– Crime, Éloïse, dit l'un d'eux, je pensais que t'étais un nouveau gars ! Je t'avais pas reconnue.

– Je te l'avais dit, marmonne Carolanne. Ils vont jamais vouloir sortir avec toi, Lili, si tu changes pas.

Je ne réponds rien. Qu'est-ce que je dois faire ? Je veux que les garçons s'intéressent à moi, comme ils s'intéressent aux filles. Mais j'aime aussi quand les gens me parlent au masculin. Je ne sais pas trop comment combiner mes deux envies, qu'est-ce que ça fait de moi ? Je regarde les filles s'approcher des garçons et je ne me sens pas en droit de m'approcher aussi. Je reste loin.

Alors que les autres discutent, Alexis, un gars du groupe, vient s'asseoir près de moi.

– Tout le monde va au cinéma ce soir, dit-il. Tu veux être avec moi ?

On fonctionne toujours par paires, je sais pas pourquoi. J'accepte.

– Wow, t'es chanceuse, me lance Carolanne, plus tard. Il doit aimer le genre garçon manqué.

Je touche ma casquette et tire sur le devant de mon chandail. Mon amie brosse ses longues mèches brunes. Elle se tourne vers moi.

– J'y vais avec Francis. Tu le trouves beau ?

– Pas mal.

– Ouais ben, poursuit Carolanne en se retournant vers son miroir, si Alexis avait eu de bons yeux, il t'aurait pas invitée. Ne fais pas comme si t'étais meilleure que les autres.

Woah... Qu'est-ce que j'ai dit de mal ? Surtout qu'aller au cinéma à deux, c'est rien du tout pour moi. Alexis ne sait pas que, à l'intérieur, je suis un garçon, quelle importance que je lui plaise ou pas ?

– Tu n'aimes pas Francis ?

– C'est pas ça... Essaie au moins de mettre quelque chose de *cute* ce soir, Éloïse. Fais-le pas regretter.

Regretter quoi ? C'est ce que je dis... tout le monde change, et moi, je suis perdu. Je suis toujours celui qui court derrière pour comprendre.

Le soir même, dans la salle, on est huit ados assis côte à côte. Je partage mon popcorn avec Alexis et, à un certain moment, il me prend la main. Je le laisse faire, le cœur battant. Nos doigts sont un peu huileux et chauds. C'est vrai qu'il est beau, ce gars-là. Dommage qu'il déménage dans quelques semaines... Non, pas dommage. Je suis un gars, je ne peux pas en apprécier un autre. Pas comme *ça*.

– C'est chiant qu'Alexis parte, affirme Carolanne un jour de la semaine suivante, alors que nous sommes chez moi.

– C'est correct, que je réponds en haussant les épaules.

– Mais il t'a tenu la main !

Et... ? On n'est pas mariés à cause de ça.

– Tu l'aimes pas ou quoi ? s'emporte Carolanne. Pourquoi t'es allée au cinéma avec lui si tu t'en fiches ? Tu sais, il y a des gens qui auraient voulu avoir leur chance. T'as pas pensé à ça ?

Je lève un sourcil, mélangé. Est-ce qu'elle aurait aimé qu'Alexis l'invite à ma place ? Pourquoi elle ne l'a pas dit ?

– Éloi ?

Je me retourne ; mon frère a la tête dans l'embrasure de ma porte. Il salue mon amie et lance un petit tas de vêtements dans ma direction.

– Si tu les veux...

Il tourne les talons. J'étudie les chandails et les shorts de mon frère. *Cool.*

– Tu vas porter ça ? s'étonne Carolanne en soulevant un chandail.

– Pourquoi pas ?

– Je comprends pas les gars, c'est clair.

– Pourquoi tu dis ça ?

– Pourquoi Alexis t'a demandé d'aller au cinéma avec lui si tu portes des affaires comme ça ? Tu devrais tellement te mettre en jupe, faire comme tout le monde ! Ah et puis, te raser les jambes, tiens. Ç'a beau être pâle, à notre âge, on se rase.

Telle une reine, elle envoie ses cheveux derrière son épaule et part. Je l'entends claquer la porte d'entrée.

Wow. C'est moi qui ne comprends rien aux filles.

Il neige. Il fait noir, la lumière de la rue éclaire les flocons, ils apparaissent tout à coup et disparaissent en touchant la chaussée. Un peu comme moi, quand je parle et quand je m'écrase. J'ai hâte que tout le monde sache, que Pascal et Joël ne soient plus les seuls à m'appeler Éloi, ne plus être coincé entre une identité de fille et une de garçon. Je sais où je veux aller. Je n'ai même pas peur.

Mon rendez-vous avec le docteur est dans six jours et je *sais* ce qui se dira entre ma mère et lui. Ils parleront des bloqueurs, pour arrêter ma puberté. Mon père a annoncé qu'il ne viendrait pas.

Avant, j'avais envie de frapper mon corps, de couper ma peau, parce que je ne comprenais pas qu'elle puisse être si mal faite, mais maintenant, je veux juste être en pause. Plus tard, je changerai mon corps, pour que tout le monde voie... me voie tel que j'aurais dû être. Ce sera peut-être plus facile pour mes parents. Même si, eux, ils ont peur.

Tout à l'heure, avant que je ne me couche, mon frère est entré dans ma chambre. La porte était entrouverte et il a dû me voir par l'embrasure.

– T'as l'air déprimé, a-t-il murmuré en prenant place sur mon lit. Qu'est-ce que t'as ?

– Je ressemble de plus en plus à une fille, regarde.

J'ai pointé la vitre. Avec une camisole, on voyait mes seins, j'avais le visage d'une fille, les cheveux à mi-dos, de petites épaules, pas comme les siennes. Des doigts fins, une légère courbe à la taille.

– Tu le sais que j'ai pas le goût que t'aies des médicaments moi non plus, a soupiré Joël. Je pense comme papa sur ce coup-là.

Il a beau m'appeler Éloi de temps en temps, je crois que l'idée que je vais réellement changer un jour l'effraie. Il voit la perte d'une sœur et non l'échange d'une sœur pour un frère.

— Mais je t'aime et si c'est ce que tu veux... Tu te connais...

Sur ce, il s'est levé et a quitté ma chambre.

Moi aussi, je t'aime, Joël.

J'entends mes parents parler. Je m'arrache à la contemplation des flocons et tourne la tête vers ma porte. Je me lève et colle mon oreille contre le mur.

— Pourquoi ne pas laisser une chance à un psy qui a vu des centaines d'autres enfants comme Éloïse ? demande ma mère. Parce que ça te fait peur ?

Mon père argumente :

— Tu veux l'encourager à devenir un gars ? Ça te fait rien qu'elle prenne la décision de changer de sexe avant même de pouvoir conduire une auto ? Ou avant même d'avoir fini le secondaire ? Crime, est-ce qu'il y a juste moi qui trouve ça trop tôt ?

— C'est presque trop tard !

— Trop tard pour quoi, Danielle ? Dis-moi ! Elle est jeune, elle est moumoune, elle est influençable ! La faire piquer tous les mois va pas l'aider à devenir plus forte, ça va juste la laisser mariner entre l'enfant et l'adulte.

– Elle veut devenir Éloi pour de vrai, elle veut juste être heureuse, je veux l'encourager à croire que c'est possible.

– Elle sait pas dans quoi elle s'embarque !

– Et toi, tu le sais ? Tu as la science infuse, peut-être ? Crime, c'est juste des bloqueurs, Curtis ! Elle va...

– Elle va passer à côté de sa puberté ! Je vois pas pourquoi je ferais ça à mon enfant, la priver de cette étape-là de sa vie pour une lubie.

– Tu sais que c'est pas une lubie. Ça fait dix ans que...

– Je veux pas perdre ma fille ! hurle finalement mon père.

J'entends une porte claquer et, une ou deux minutes plus tard, la voiture démarre.

Il ne rentre que le lendemain soir. Je suis resté dans ma chambre toute la journée, à regarder dehors, à l'attendre. Je veux m'excuser auprès de mon père, je veux dire merci à ma mère. Ça me semble contradic-toire, alors je ne dis rien quand il revient, le visage sévère. Il pointe un doigt vers moi et je me tends devant mon assiette de spaghettis.

– Tu vas avoir ce que tu veux. Mais que je ne t'entende pas une fois te plaindre, je ne t'écouterai pas, m'assure-t-il.

Je hoche la tête. Je comprends ce qu'il me dit. Il me permet d'être moi sous condition et je vais respecter ça.

Quelques jours plus tard, je me réveille dans le noir, je ne sais pas quelle heure il est. J'écoute : pas de dispute. Alors pourquoi ?... Je me tourne sur le dos. Je me sens mouillé. Rapidement, j'allume la lampe de ma table de chevet, lève ma couverture. C'est tout rouge. Entre mes cuisses, le tissu gris de mon boxer est foncé. Je me recule. Il y en a plein sur mes draps !

J'éteins la lumière. Je ne veux pas voir ! Je sens les larmes qui coulent sur mes joues, la moiteur de mon drap. C'est dégueulasse ! On dirait que mon cœur bat dans mon entrejambe.

Je ravale mes larmes. Il faut que je répare tout... Je vais à la salle de bain du sous-sol, mes draps en mains. Je veux que personne n'entende, ne me voie. Faites qu'Annabelle ne se réveille pas !

Je nettoie les draps avant de me nettoyer, moi. J'ai les mains qui tremblent. Je serre les poings, essuie mes joues. Ça suffit, même si je pleure, ça ne changera rien ! Ça n'a jamais rien changé ! J'ouvre l'eau, prends le pommeau de la douche, mais ç'a séché un peu sur ma peau, je n'aurai pas le choix de me toucher. Je ne veux pas, ça va faire trop mal... Je vois les traînées rouges glisser vers le drain de la baignoire, je pense aux meurtres dans les films et comment les coupables essaient de camoufler leurs traces.

Les yeux fermés, je compte dans ma tête. Un... Deux... Trois... Quatre... Je laisse tomber la débarbouillette. Je suis propre, c'est fini.

Maintenant, j'ai peur. Trop peur de ce que je vois se dessiner pour ma vie future sans les bloqueurs... sans la testostérone qui aurait dû couler dans mes veines. Je sais que le sang vient de l'utérus. Je veux qu'on l'enlève ! Je n'aurai jamais d'enfant, c'est sûr. Pas en moi. Qu'on m'enlève tout ce qu'il y a en bas...

J'entends le doux roulement de la sécheuse. Assis sur la cuvette des toilettes, j'évite de regarder vers la poubelle, dans laquelle j'ai jeté mon boxer taché. De temps en temps, j'entends une goutte de sang qui tombe dans l'eau. Peut-être que je l'imagine seulement, je ne sais pas. Si mon corps décide d'être menstrué malgré tous les messages que ma tête envoie, malgré toutes les paroles que je dis, qui a raison ? Est-ce que je ne suis pas malade mental, après tout ?

Je me lève, ouvre la porte de la pharmacie. Pas de ciseaux en bas, mais un exacto, posé sur la tablette au-dessus de la sécheuse. Ma main tremble quand je presse la lame sur ma cuisse. Au même endroit qu'une autre cicatrice, pour que ça ne laisse pas trop de traces. C'est rouge et ça saigne un peu. Ça fait mal et je sais que je ne devrais pas, mais... je veux un peu de contrôle. Ce sang-là, je le contrôle.

J'ai mis plein de papier de toilette dans mes sous-vêtements, j'ai remis mes draps sur mon lit. Incognito. Faut pas qu'ils sachent, j'ai bien trop honte...

Je pense que je me rendors malgré moi, car, quand je m'éveille, il fait jour. Je ne suis pas taché.

– Maman ? que je demande, une fois en bas.

Silence. Je me sens comme Kevin McCallister dans *Maman j'ai raté l'avion*, quand ses parents l'oublient à la maison. Il est dix heures. Ils doivent être partis faire des courses. C'est ce que me disent la circulaire et les ciseaux posés sur l'îlot de la cuisine. J'aurais aimé qu'ils soient là, j'aurais été forcé de me contenir.

Quand j'étais petit, au lieu de pleurer, je faisais des crises. Là, je ne me sens pas la force de crier et de frapper comme avant... Je peux juste endurer, mais je n'en ai pas envie. Il faut que ma puberté s'arrête ! Tout de suite ! Comme cette nuit, sans penser, j'attrape les ciseaux. Et je coupe. Je coupe une mèche châtaine. Le plus court possible. Une autre. Les bouts de cheveux tombent par terre en petits tas. À chaque coup de ciseaux, je me sens de mieux en mieux.

J'ai pris les gros ciseaux de la cuisine et je tiens Gabriel par les cheveux. Je coupe. J'entends le bruit du métal qui frotte et ma poupée tombe sur le sol. Je la ramasse, coupe encore. Il y a de faux cheveux partout par terre. Ça chatouille si je marche dessus. Laissant les ciseaux sur la table, je monte à ma chambre pour trouver mon crayon. Celui qui me sert pour mon tableau blanc. J'écarte les jambes de Gabriel et je mets de l'encre. Là, entre ses jambes, je fais une grosse tache noire.

– Éloïse ! m'appelle ma grand-mère du rez-de-chaussée. Qu'est-ce que tu as coupé comme ça ?

Coupable.

Je l'entends qui monte les marches. Je me glisse sous mon lit avec Gabriel. Il ne faut pas qu'elle voie ce que j'ai fait.

– Où es-tu ? demande-t-elle.

Je vois ses sandales. Je résiste à l'envie de tendre la main et de la chatouiller, elle aurait peur. Et puis, elle verrait que j'ai dessiné sur ma poupée.

Lentement, elle se penche et ramasse le bouchon du crayon noir que j'ai laissé traîner. Je vois, dans son autre main, mes souliers. C'est vrai, on devait aller au parc et manger une crème glacée. Elle a dit que je pourrais choisir la saveur que je voulais. J'ai trois ans maintenant, je peux faire tout ce que je veux.

Mamie avance son pied sous le lit et, ça y est, j'y peux rien, je souffle sur ses orteils. Elle se met à rire.

– Sors de là, toi.

J'obéis en riant. J'arrête aussitôt qu'elle voit Gabriel. La marque, les cheveux.

– Pourquoi tu lui as fait ça ?

– C'est que... Tout le monde pense que c'est une fille parce qu'il a ça.

Je pointe la tache, le sexe de plastique.

– Mais c'est pas vrai. Il est un garçon quand même.

Elle sourit. Un peu. Elle tend la main vers Gabriel.

– Pardon, monsieur Gabriel, de m'être trompée. Qu'est-ce que tu dirais si je cousais des pantalons pour lui, hein, Éloïse ?

Je lui lance un grand sourire. Oui, je veux !

– Les filles ?

C'est la voix de mon grand-père.

– Où êtes-vous ?

– Allez viens, me dit ma grand-mère. Mets ta casquette.

Elle se relève et marche vers la porte. Elle se retourne avant de sortir et me regarde. Elle m'en veut d'avoir abîmé le cadeau de papy, c'est ça ?

– T'es fâchée ?

– Pas une miette. Si tu dis qu'il est un garçon, je te crois.

– Oh, my God !

Je sursaute au son de la voix. Ma mère me regarde, sous l'arche séparant la cuisine de la salle de séjour. Elle dépose lentement les deux sacs qu'elle tient.

– Qu'est-ce que t'as fait ? crie-t-elle.

– Qu'est-ce qui se passe ? demande mon père.

Il apparaît une seconde plus tard, le siège d'auto de ma sœur au bout du bras. Ses yeux vont de ma tête au plancher.

– T'es malade ou quoi ?

Je baisse la tête. Oh oui... malade. Pourtant, alors que j'aperçois les cheveux éparpillés autour de mes pieds, je me sens libre ! Libre ! Plus libre que quand j'ai su que le docteur allait m'aider, plus libre que quand Pascal m'a dit que j'étais son meilleur *ami*, plus libre que quand je me coupe. Mon corps a décidé de ne pas m'écouter, mais, moi, je n'abandonne pas, il va comprendre un jour que le sang ne changera rien au fait que je suis un gars. Je me sens moi.

– Pourquoi t'as fait ça ? s'emporte ma mère. On peut pas te faire confiance !

– Tu penses pas que t'en as assez fait, hein ? continue mon père. Maudites niaiseries. Regarde ta tête, t'as l'air de...

De quoi ? D'un gars ? Il laisse passer un juron entre ses dents.

– Je suis tannée de me préoccuper de toi, Éloïse, dit durement ma mère. C'est totalement irrespon-sable de...

– Je saigne.

Je parle doucement et leurs mots s'arrêtent instantanément, comme si je les avais mis sur *mute*.

– Ah, mais c'est normal, soupire ma mère.

Je fais non et elle me prend dans ses bras en me touchant la tête. Je sens sa main sur ma nuque et ça me fait bizarre. J'ai enfin les cheveux courts. En levant les yeux, je vois mon père tourner les talons sans rien dire. Ma mère m'éloigne d'elle.

– Je te jure, t'es punie ! Pas de télé, pas d'ordi, tu vas trouver ça long, longtemps... Assieds-toi, reprend-elle plus calmement. Je vais t'arranger la tête, t'as l'air d'une folle...

Après avoir rangé l'épicerie, elle me recoupe les cheveux en me répétant une dizaine de fois combien je l'ai déçue. Ce n'est pas comme si j'en doutais... Un long monologue sans point ni virgule.

Quand mon frère rentre de chez sa blonde, il rit.

– Là, t'as l'air d'un gars, Éloi.

Il touche ma tête, ses doigts arrivent au bout de mes mèches en une seconde.

– Ça te va bien.

– Encourage-la pas, grommelle mon père au bout de la table.

Tout le long du souper, il me fixe et je soutiens son regard. On dirait qu'il s'attend à ce que j'aie une crise de nerfs monumentale et fasse exploser les vitres comme dans *Carrie*.

– Viens, me dit ma mère, lorsque je termine la vaisselle, je vais te montrer comment te servir des tampons.

Je recule d'un pas, secoue la tête.

– Fais pas le bébé, soupire-t-elle.

Elle ne comprend pas. Je ne veux rien *là*. Je ne veux pas y toucher.

Quand je la rejoins, elle remarque mes yeux apeurés, j'en suis sûr, parce qu'elle baisse la boîte de tampons, la range.

– T'as mal au ventre ?

Je fais non, en massant mon cœur. Elle se penche pour attraper un paquet de serviettes sanitaires sous le lavabo. Je pense qu'elle a compris que c'est toute mon âme qui a mal.

Lundi, 11 novembre. J'ai eu une piqûre dans la cuisse ce matin. Je suis en pause.

14 ans

C'est ma fête aujourd'hui et, pour la première fois, j'ai l'impression que j'avance dans la bonne direction. Je ne mets pas un pied devant l'autre, les yeux fermés, en espérant ne pas me casser la gueule. J'ai les yeux ouverts. Même si mon cœur bat trop vite parfois, quand je pense que, pour être moi, je vais devoir m'injecter des hormones dans la peau toute ma vie, que je vais me faire opérer, je sais que je fais la bonne chose.

La preuve ? Je n'ai pas ressorti les ciseaux. Et la personne à l'intérieur de moi, celle qui criait et voulait sortir, elle est sortie. Je ne suis qu'un.

J'ai demandé à recommencer le hip hop. Après trois ans de pause, j'ai vraiment envie de danser encore. Refaire toutes les choses que j'aimais avant. Avant de trop essayer d'être quelqu'un d'autre. Ma mère et moi, on retourne à l'école près de la boulangerie.

– Je m'appelle Éloi maintenant, que je leur explique.

L'homme et la femme, les proprios, haussent les sourcils. Synchro.

– Je pense qu'il serait bien que rien ne change, fait la femme. Ça pourrait mettre les gens mal à l'aise. Reste Éloïse, d'accord ?

– Mais je ne suis pas une fille !

– Allons, dit ma mère, ne te fâche pas, je suis sûre que même si on t'inscrit sous le nom d'Éloïse, ça ne changera rien, non ? Le professeur pourra t'appeler Éloi.

L'homme en face de nous me dévisage. La femme, elle, regarde ma mère comme si elle était folle. Je suis certain que si je réplique quelque chose, ça va virer en bataille générale. Ce serait *cool*... OK, peut-être pas.

– C'est sûr qu'il va pas dire aux autres que... ?

Je ne finis pas ma phrase. Parler de mon corps avec eux est hors de question. Ma mère regarde la femme, attend un assentiment qui ne vient pas.

– Écoutez, reprend l'homme, pourquoi changer ? Tu étais une bonne élève, Éloïse. Tout le monde sait que tu es une fille, t'appeler d'un nom de garçon ne changera rien.

Ils *savent* que j'ai un corps de fille et tenter de passer incognito est impossible. Mais, pour moi, le nom est important. Je veux être moi-même, enfin. Du coin de l'œil, je vois la femme secouer la tête. Je la fixe, le regard dur.

– Quoi ?

– Lili... Éloi.

Double prénom. Maman commence tout juste à faire l'effort.

– Alors ? demande-t-elle. Vous l'appellerez Éloi ?

– Si vous y tenez, soupire la femme. C'est un peu idiot, par contre.

– Pardon ?

Ça aussi, ça vient de ma mère. Ton un peu insulté.

– Loin de moi l'idée de me mêler de ce qui ne me regarde pas, mais... vous ne pensez pas que c'est un peu irresponsable d'encourager ce genre de comportement ?

– Vous ne vous mêlez pas de vos affaires, en effet.

Ton catégorique.

– Si notre politique d'appeler un chat un chat vous dérange..., commence la femme durement.

– Je crois aussi qu'il serait plus sage qu'Éloïse aille suivre des cours ailleurs, continue l'homme.

Je lance, surpris :

– Mais pourquoi ? J'aime ça, ici.

Il y a un silence. Ma mère a l'air découragée, Annabelle dans les bras. Après les psys, le diagnostic de dysphorie, les rendez-vous avec les docs, l'endocrinologue et tout le reste, c'est vraiment la goutte de trop pour elle, je pense.

– Madame, dit l'homme, quand vous avez inscrit votre fille ici, nous vous avons assuré que nous avions une bonne école. Que vont dire les autres parents s'ils apprennent que vous laissez Éloïse changer de sexe ? À son âge ! Vous ne trouvez pas ça un peu étrange ?

– C'est seulement un prénom, soupire ma mère, défaite.

– Et je pense seulement au bien-être des autres élèves.

On rentre à la maison. Je ne suis pas inscrit, je ne suis plus le bienvenu. Je pense que c'est ça qu'on appelle la transphobie. Comme l'homophobie, mais pour les transsexuels. Ils ne veulent pas de moi parce que je suis trans.

Je descends les marches pour demander à ma mère si on peut aller voir une autre école, mais je m'arrête à mi-chemin. Je la vois, assise sur le plancher du salon, ma sœur se traîne autour d'elle. Et elle pleure, les mains sur les yeux. Elle les essuie de son avant-bras, mais, rien à faire, elle pleure encore.

Lentement, je remonte l'escalier, ferme la porte de ma chambre. C'est ma faute, encore. Je ne sais pas combien de fois j'ai demandé pardon. Pardon ne sera jamais assez. Je ferme les yeux ; il ne faut pas que je pleure. J'ai eu ce que je voulais, pas vrai ? Je vais être un garçon, dehors comme dedans. Je n'ai pas le droit de me plaindre.

Pascal est parti pour cinq semaines au lieu de trois cet été et je m'ennuie beaucoup. Je pense qu'il est la seule personne en qui j'ai vraiment confiance. Je passe tout mon temps chez Carolanne même si, de plus en plus, je sens qu'elle en a assez.

– C'est ta blonde ? s'enquiert mon frère un matin à la table.

– Joël ! Franchement !

Je baisse les yeux sur mes toasts alors que mon père reprend ses esprits. Ma mère le réprimande :

– Tu te trouves drôle, peut-être ?

– Ben là, c'était juste une question !

Mon frère est convaincu que j'aime les filles, comme tout le monde. Ma sexualité ne le regarde pas, alors il peut bien patauger dans ses doutes et ses suppositions. Je n'aime personne, OK ? Faire du *skate* et finir le supermonde sur Mario Bros sont les priorités de ma liste, le reste peut bien attendre... jamais.

J'ai envie de continuer l'école en tant que moi. En tant qu'Éloi. Finie, Éloïse.

– Qu'est-ce que tu penses qu'il va se passer ? me demande mon frère.

– Je sais pas, j'ai mes amies déjà, ça devrait être correct...

– Tu rêves en couleurs, Éloïse, renvoie mon père. Les gens ne comprennent pas, les gens sont méchants. Avec n'importe quelle différence... Imagine la tienne !

– C'est mieux que je me taise et qu'on m'appelle Éloïse jusqu'à la fin du secondaire ?

– C'est ton nom, que je sache...

– Désolé si j'ai pas envie de jouer à la cachette, que je dis, hargneux. C'est vrai que ce serait tellement plus simple pour toi, hein ? T'aurais pas honte.

– Hé, surveille ton ton !

– Ce que papa essaie de t'expliquer, intervient ma mère, les bras levés entre nous deux, c'est que ce ne sont pas tous les élèves qui vont prendre le temps d'écouter ce que tu as à leur dire concernant ton identité, tu comprends ? On ne veut pas que tu sois mise... mis à l'écart.

Je réplique, agrippant un des coussins du divan pour le placer derrière ma tête :

— C'est trop tard. Je suis la fille bizarre qui fait des trucs de gars. Au moins, là, je vais être placé dans les bonnes équipes.

— Oublie ça, rétorque mon père en riant, sarcastique. Tu penses qu'ils vont laisser une fille... Une personne avec un corps de fille, se reprend-il, sévère, lorsque j'ouvre la bouche pour faire objection, aller dans le vestiaire des gars ? Tu vas être la fille qui se prend pour un gars et qui fait des trucs de gars.

— Avec le temps...

— Tu peux pas passer de l'un à l'autre aussi facilement, argumente ma mère. Tu es peut-être un gars dans ta tête, mais c'est dangereux d'aller du côté des hommes comme ça...

— Franchement, on n'est pas si dangereux, se défend Joël.

— La situation rend tout dangereux.

J'hésite. Est-ce qu'ils sont paranoïaques ? Je commence à douter... Est-ce que me faire appeler Éloi et être considéré comme un garçon vaut le danger ?

– J'ai qu'à changer d'école ! Aller au public avec Pascal ! Il sera là pour moi.

– Bel essai, soupire mon père. Oublie ça.

– Mais je...

– Oublie ça !

Je le regarde se lever et je me renfrogne. Le sacro-saint collège privé de mon père... Je ne veux plus aller dans cette école-là !

Au moins, j'ai Carolanne. Enfin, je crois.

Je suis chez mon amie, elle écrit son nom sur ses nouveaux effets scolaires. Pascal revient dans deux jours. J'ai hâte de le voir ! Skype, ce n'est pas pareil.

– J'ai mal au ventre, se plaint-elle. C'est vraiment poche d'être une fille des fois.

Je souris. J'ai décidé d'être Éloi à l'école aussi et ma décision me rend vraiment fier. J'ai un peu peur, mais ce n'est pas grave, je m'assume, je ne vais pas me cacher. Je commence, lui tendant le crayon qu'elle me demande :

– J'en aurai plus jamais, de règles.

Ça allume son intérêt parce qu'elle se redresse sur son lit.

– C'est le médecin. Il me donne une piqûre.

– Ah... Pour pas tomber enceinte.

– Non, moi, c'est pas...

Je m'interromps. Je sais que c'est le moment de le dire, mais ça fait un an que j'en parle avec des gens qui comprennent les mots, j'ai peur de ne pas arriver à lui expliquer.

– Moi, c'est pour toute la vie, j'en aurai plus jamais. Je veux pas de bébés.

– Franchement, Éloïse, tu vas changer d'idée.

Je fais non de la tête.

– Je suis pas comme toi, pas comme Roseline ou les autres.

– Je le sais que t'es pas pareille, dit Carolanne. T'es un vrai gars manqué.

– Juste un gars, que je chuchote.

– Quoi ?

– Juste un gars. La piqûre que j'ai, c'est pour que je ne devienne jamais totalement fille, que mon corps change pas.

– Mais pourquoi t'aurais ça ? Les gars aiment les seins et t'as été chanceuse une fois avec Alexis, mais si tu...

Je l'interromps.

– Je m'en fous de ça, Caro. Je fais pas ça pour plaire aux gars, je veux me plaire, à moi ! En dedans, je suis un gars. J'aurais dû naître en gars, tu comprends ?

– T'es pas drôle.

– Je blague pas. Le psy appelle ça une dysphorie du genre, ça veut dire être transsexuel. On va m'opérer quand je vais être majeur. Je pourrais même avoir un pénis si je veux, un vrai ! Enfin, presque.

– T'es malade !

Sa réaction me prend par surprise et, quand je la vois se lever de son lit, je reste assis au pied, en silence.

– C'est pour ça que tu t'habilles en gars, que tu t'es fait couper les cheveux en gars ? Que t'agis en gars ? Que tu t'écrases les seins ?

– Je suis un gars, que je rétorque avec un petit haussement d'épaules. J'ai juste pas le bon corps. Tout le monde m'appelle Éloi en dehors de l'école.

– C'était pas un diminutif ? Genre... Caro ?

– Non, que je réponds en souriant. C'est le nom que j'ai choisi.

Elle me regarde en silence, de haut en bas, et de bas en haut. Je commence à être mal à l'aise. Elle recule quand je me lève.

– T'es une débile mentale.

Je lève les mains, comme si je voulais me rendre à la police.

– Mais non, je te jure. Il y en a plein, des gens comme moi. Plus tard, je vais pouvoir prendre des hormones. Pour que mon corps change, je vais être comme... comme tes frères.

– Tu seras pas comme eux ! lance-t-elle, dégoûtée. Mes frères sont normaux ! Toi, t'es... t'es...

– Je suis la même personne...

J'essaie d'expliquer, mais plus je parle, plus elle se fâche, moins on se comprend, moins je sais quoi dire, plus elle crie, plus je m'écrase.

– *Mais pourquoi tu as fait couper tes cheveux ? me demande Carolanne. Je comprends pas.*

– *J'avais envie de changer, c'est tout.*

– *Ouais, ben, c'est pas comme avant. Les gars vont pas aimer ça, je pense.*

Ça me refroidit un peu. Est-ce que c'est vrai ?

– *Toi, t'aimes ça ?*

Son avis compte, elle est mon amie. Et moi, je me sens tellement bien avec les cheveux courts ! Pascal trouve ça cool, j'aurais voulu qu'elle trouve ça cool aussi.

– Bof, dit-elle. T'es trop pâle pour que ça fasse vraiment beau. T'as l'air d'un gars. Viens, on va rejoindre les autres.

Elle tourne les talons et moi, je la suis, flottant à quelques centimètres au-dessus du sol, j'en suis certain. Elle a dit que j'avais l'air d'un gars ! Laid, mais c'est pas grave.

Carolanne ne veut plus me voir.

Je reviens à la maison avec en tête des tonnes de qualificatifs dégoûtants. Elle a dit qu'elle savait que je n'étais pas normale. Qu'elle savait que j'étais une *freak*. Elle a dit que, depuis des mois, elle voulait juste me jeter parce que j'étais trop bizarre, que, maintenant, elle comprenait pourquoi personne ne m'aimait. Elle a dit qu'elle avait pitié. Que j'étais dégueulasse.

Elle prétend que les autres vont être contents de savoir que je suis une débile. J'ai répondu que j'étais pas fou. Elle a crié : « Tu vois des psys ! » Elle a un peu raison, je suppose. Carolanne a dit que plus jamais elle n'allait m'appeler. Qu'il n'était pas question qu'elle soit vue avec moi. Les amis que j'ai au collège... que *j'avais* au collège, c'étaient les siens. Maintenant, je vais être tout seul. Tout seul pour recommencer l'école en tant qu'Éloi. Est-ce que quelqu'un voudra être mon ami, maintenant ?

14 ans 5 mois

Il me reste 575 jours. Avant de commencer les hormones. Avant de forcer mon corps à changer. Je ne pense plus à avoir des amis ; je ne pense plus à avoir ma place dans un groupe, je pense au jour où, enfin, je vais avoir seize ans. Où le doc va me dire : « OK, Éloi, le reste de ta vie commence. » J'ai seulement besoin de penser à autre chose. D'oublier que les gens détestent ce que je suis.

C'est long.

– C'est pour ça que, à l'hôpital, on t'appelle un patient, me dit Pascal. Parce que t'attends toujours.

Une vie d'attente. Je me construis par étapes.

En septembre, quand j'ai tenté de revoir Carolanne et les autres, elle a glissé sur le banc, a mis sa main sur la place libre à ses côtés.

– On n'accepte pas les *freaks*, ici.

J'ai regardé nos autres amis. Tout le monde me dévisageait.

– Pas de transsexuel à la table, a fortement lancé une autre fille.

Carolanne et moi, on ne s'est plus reparlé après ça. J'ai essayé, mais rien à faire : je suis banni de ce groupe, de sa vie aussi. Depuis, je suis tout seul. En fait, ils sont toujours là, les autres... les *normaux,* à me rappeler que moi, je ne suis pas comme eux. Je suis entouré de gens, mais tellement seul...

Je voudrais juste qu'on m'oublie, que les jours passent sans tempête. Mais, comme je suis différent, je suis tout sauf invisible.

C'est ce à quoi je pense alors que je marche vers les toilettes. Celles des filles, celles des gars ? C'est toujours un *guess.* Je ne sais jamais à quoi m'attendre quand je vais faire pipi. Alors je n'y vais pas. Je me retiens le plus longtemps possible, à en avoir mal au ventre, pour éviter qu'on m'embête. J'y vais pendant les cours, j'ai plus de chance d'être tout seul. Aujourd'hui, j'opte pour celles des garçons. J'ai un sentiment d'appartenance avec ce petit bonhomme sur la porte, je me sens fort dès que j'y entre. Parce que c'est ma place, malgré ce que les gens peuvent en dire. Je me respecte en...

– Tiens, tiens... c'est la lesbienne de service...

Shit. Je tourne les talons pour sortir, mais le gars s'approche. Pas-de-Couille, c'est comme ça que je l'appelle. D'habitude, il attend d'avoir un public pour m'emmerder. Je me glisse dans une cabine, ferme la porte.

– Tu prends pas d'urinoir ? lance-t-il en riant. Oh, mais pourquoi ? Parce que t'as pas de pénis !

Je n'ose pas m'asseoir pour uriner. Et s'il se glissait sous la porte pour voir ? Justement, j'aperçois des doigts qui approchent, un cellulaire. Le cœur battant, je donne un coup de pied sur sa main. Là, il crie :

– Sors ! J'ai dit « sors » !

Il frappe contre la porte. Il frappe en criant. Et encore, et encore. Il faut que je sorte de là. Je ne suis vraiment pas assez fort pour gagner contre lui. Pense, Éloi, pense !

Alors que je crois qu'il s'apprête à refrapper contre la porte, je l'ouvre. Il trébuche en avant et je lui renvoie la porte au visage.

– T'es malade ou quoi ?

Enfin, je pense que c'est ce qu'il dit. Je vais pas rester là pour en être sûr. Je le pousse sur le côté et me sauve. Dans le corridor, je cours un peu, même si c'est interdit. Mon cœur va me sortir de la cage thoracique, c'est certain. Je déteste ce gars-là, il me fait peur ; c'est lui qui crie toujours le plus fort.

Je crois que je n'irai pas aux toilettes aujourd'hui.

– Maman ?

Elle se retourne, me sourit un peu. De la porte-fenêtre ouverte, j'entends mon frère qui joue avec Annabelle dans le jardin ; elle rit aux éclats. Les feuilles sont orange, l'Halloween vient de passer.

– J'ai trouvé une école de danse pas très loin et je...

Son visage s'assombrit ; elle se souvient sans doute de ce qui s'est passé l'été précédent. Je me demande combien de fois elle pleure parce que je suis transsexuel. Moins souvent que si elle savait ce qui se passe à l'école, c'est certain.

– Est-ce qu'on peut aller la voir ? Demander si...

Le visage fermé, elle hoche la tête, retombe dans ses papiers. Merci.

Devant la directrice, ma mère garde le silence. J'ai le cœur qui bat fort... genre crise cardiaque fort, à m'en casser les côtes. J'explique, le plus simplement possible :

– Je... Je suis né comme une fille, mais je... je suis en train de changer ça. J'ai un médecin qui...

– Éloïse..., dit ma mère avant de se reprendre. Éloi, ne rentre pas dans les détails, s'il te plaît.

Elle a honte, je le sais. Mais après avoir été dans le doute pendant si longtemps, après ne pas avoir eu

170

de mots, après m'être oublié, je souhaite en parler. Le crier.

– Je veux juste danser, que je dis, adoptant un ton suppliant malgré moi. S'il vous plaît. Je ne dérangerai pas, c'est promis.

La femme regarde ma carte d'assurance maladie qu'elle tient en main. Mes cheveux courts, mon chandail de *Iron Man*, ma casquette.

– Est-ce que je dois noter quelque chose sur la fiche médicale ? Tu prends des médicaments ?

– Alors... c'est oui ?

Elle a l'air très sérieuse, mais elle dit oui. Je vois ma mère pousser un soupir de soulagement. Moi aussi, je respire.

– Le cours commence dans vingt minutes, tu veux rester ? me demande-t-elle.

– Je peux ?

– On verra si tu es au bon niveau.

Dans la classe, il y a huit élèves, tous plus vieux que moi, mais pas de beaucoup. En plus du prof. Il s'appelle Dominic, il n'est pas très grand, les cheveux rasés et un gros tatouage sur le bras, ce qui me surprend parce que je ne pense pas qu'il soit majeur. Il semble très intense, comme si, juste avec ses yeux, il pouvait t'envoyer promener ou te rassurer.

– T'es un petit tranquille, me lance-t-il à la fin de la session. T'as rien dit du cours.

Je ne veux pas qu'il entende ma voix, elle est trop aiguë. Il me frappe dans le dos, mon chandail est humide de sueur.

– En tout cas, tu es très bon. Je te revois la semaine prochaine ?

Je fais oui de la tête.

– Tu devrais t'acheter des mots, lance-t-il en riant. Regarde sur eBay, c'est pas trop cher !

Impossible de ne pas sourire à ça.

Avant, quand j'étais petit, Pascal était mon sanctuaire. Maintenant qu'il est si loin... qu'il grandit vite et pas moi, que sa vie est simple et pas la mienne, qu'il s'est fait une blonde et que je suis tout seul, on dirait que tout nous éloigne. J'ai l'impression de perdre mon meilleur ami ; le studio de danse est devenu un refuge.

– Je suis content que tu recommences à danser, me dit Pascal un après-midi. Parce que tu as arrêté de me parler encore... Et quand tu ne parles pas, tu me fais peur.

– Je vois pas pourquoi tu t'inquiètes..., que je dis, concentré sur Zelda.

– Parce que je sais que tu penses que j'ai pas besoin de toi, mais c'est faux. Tu seras toujours mon meilleur ami. Je veux être là pour tout ce que tu vas vivre ; tu fais partie de moi.

– C'est pas à ton avantage, ça...

Je souris un peu, mais pas lui. Je dépose ma manette.

– T'as toujours été là pour moi, Éloi. Toujours, sans faille, même si ta bataille à toi est beaucoup plus compliquée que les niaiseries dont je me plains. Tu pleures, tu tombes, tu te relèves et tu demandes rien. Des fois, je sais que t'as peur que je passe par-dessus nos dix ans d'amitié. Mais ça va jamais arriver. Je te connais par cœur. Et je sais que quand t'as mal, tu te fermes. Alors si danser te fait du bien, j'en suis bien content, c'est tout ce que je veux dire.

Je dis OK, il dit OK. On retombe dans les aventures de Link. Pascal arrive toujours à mettre en mots ce qui me semble impossible à formuler. Comme s'il tendait la main pour toucher mon intérieur et me remettre sous le nez ce qu'il a trouvé et que je n'avais jamais vu.

Ces derniers temps, je pense beaucoup à Paul Gélinas. Je me demande s'il pense à moi, à cet élève perdu qu'il a tenté d'aider. Qu'est-ce qu'il dirait s'il savait que je suis moi, maintenant ? Peut-être que j'arriverais à lui dire qu'on me harcèle. Ou il le saurait d'emblée. Il savait beaucoup de choses.

Je n'arrive pas à en parler. Pas même à Pascal. On dirait que je les ai méritées, toutes ces insultes. C'est faux, mais... je ne sais pas si c'est si faux, au fond.

C'est ce qui me vient en tête alors que je traverse la cafétéria, mon plateau en mains. J'ai oublié mon lunch ce matin ; j'évite habituellement la cafétéria. Trop de possibilités d'attaques. La semaine passée, on a versé du lait par-dessus mon épaule. J'ai senti le suri toute la journée.

– Tu viens te mêler aux gens normaux ? lance une voix derrière moi.

Je reconnais celui qui parle, je l'appelle Moron-en-chef. Il n'y a pas si longtemps, en éducation physique, il m'a lancé un ballon de basket sur la tête parce que j'ai fait gagner mon équipe. Ce n'est pas parce que je suis petit que je ne sais pas compter des paniers, hein...

Je sens une poussée dans mon dos et je trébuche. Mon plateau tombe, ma pomme roule sous une table. Je dois m'appuyer sur une poubelle pour ne pas chuter à mon tour.

– Soulève-la ! crie quelqu'un.

Aussitôt, deux mains agrippent mes cuisses. La tête dans le sac, je suis tenté de ne pas bouger. Mais, bon, j'ai un peu d'orgueil... J'attrape un pot de je-ne-sais-quoi et je le lance derrière. Je pense que c'était du pudding parce que, quand ils me lâchent et que je bascule sur le dos en renversant la poubelle, un gars a le visage barbouillé d'un truc jaunâtre. Autour de nous, toute la cafétéria regarde. Certains ont l'air gêné, certains ont l'air amusé et d'autres rient carrément.

Face-de-pudding écarte les bras alors que Moron-en-chef ricane.

— Tu me cherches, maudite lesbienne ?

— En fait, on aurait dû essayer de te recycler, propose le moron. Comme ça, tu serais peut-être devenue humaine.

Il rit, mais pas longtemps. Mon poing entre en contact avec le truc jaune visqueux et on se ramasse au sol. J'ai le temps de donner quelques coups avant de commencer à en recevoir. Bon... C'est un cas de « c'est l'effort qui compte ».

Je sens qu'on me tire par la chemise et je me retrouve debout, encadré de deux surveillants. Ils étaient où quand je bouffais des restants ? Je les déteste tellement ! Tous !

Le directeur dit qu'il fera son possible pour que ça ne se reproduise plus.

— Passe sous le radar, Éloïse, d'accord ?

Je le corrige :

— Éloi.

– Oui, c'est ça. Reste à l'écart.

À l'écart ? Je ne peux pas être plus à l'écart ! Je ne parle à personne, je mange seul ; je me change seul ; je travaille seul. Je n'ai pas à rechercher la solitude, mon statut de paria m'y contraint sans effort. Il pourrait m'aider un peu aussi ! Il est tellement hypocrite ! Il veut que je me change avec les filles ; il m'a remis deux uniformes avec pantalons et deux avec jupes au début de l'année... Il ne prend en considération que ce qu'il y a entre mes jambes ; le reste, ce n'est pas important pour lui, même s'il prétend le contraire ! Il s'en fiche, de mon identité...

Je n'ai pas été suspendu, mais je suis privé de sortie jusqu'à mes quatre-vingt-huit ans... Pas de Pascal, pas d'ordi, rien. Juste mes cours de danse. C'est déjà ça.

– Qu'est-ce qui t'est arrivé ? me demande Dominic au cours suivant. On dirait que quelqu'un a redécoré ton visage...

Je souris ; il me fait toujours rigoler avec ses comparaisons stupides. Il approche, met ses mains sur mes épaules et je recule. Ce n'est pas parce que je suis sous bloqueurs et que mon corps ne change pas que j'ai envie qu'on me touche. C'est pour ça que je compte les jours. 550.

– J'étais juste tanné qu'on m'écœure, c'est tout, que je dis finalement.

J'ai le visage qui brûle ; je n'aurais pas dû dire ça.

– Pourquoi on t'écœure ?

Je hausse les épaules. Moi et ma grande gueule...

– Et il est de retour avec son silence, poursuit Dominic avec un sourire.

Je n'ajoute rien. J'ai le sentiment que, ce gars-là et moi, on pourrait être amis. J'ai vraiment besoin d'amis... De personnes qui ne me méprisent pas. Moins il en sait, plus j'ai de chances, je suppose.

– Espèce de gouine.

Il y a des gens qui chuchotent ça quand je passe dans les corridors.

– Couvrez-vous, Éloïse va avoir un orgasme.

C'est ce qu'on me dit dans le vestiaire des filles. Pourtant... leurs corps ne m'intéressent pas du tout. On dirait qu'elles *devraient* m'intéresser, je ne comprends pas...

Un midi, une prof me prend à part.

– Tu sais, l'homosexualité n'est plus aussi taboue que quand j'étais jeune, me dit-elle. Pourquoi ne pas accepter le fait que tu préfères les filles aux garçons et vivre ta vie comme telle : une jolie femme homosexuelle ? Pourquoi faire subir tout ça à ton corps ?

Je ne suis pas une fille, voilà pourquoi. Et mon orientation... Un autre mystère.

– Tu vois..., continue-t-elle, t'habiller en garçon et prendre le nom d'un garçon ne changera rien à tes préférences. Les choses ont changé. Tu n'as pas à avoir peur ni à avoir honte d'être ce que tu es.

Je me renfrogne ; elle ne comprend pas du tout. J'ai l'impression qu'elle veut que je lui dise : « Oui, bravo, tu as tout à fait raison, tu peux te féliciter, je vais être une fille ! » Je sais que c'est méchant, je ne le pense qu'à moitié. Aux trois quarts. Je réponds simplement :

– Je n'ai pas honte d'être un gars.

Je lis beaucoup de blogues, je regarde beaucoup de vidéos sur YouTube, et je vois que la très grande majorité des gars comme moi aime les femmes. Je dois aimer les filles, alors ? C'est pour ça que tout le monde s'imagine que... Est-ce que je me suis senti attiré par Carolanne ? Par ses amies ? Est-ce que j'ai déjà tourné la tête pour suivre une fille dans la rue ? Est-ce que j'ai éprouvé du désir pour les blondes de Pascal ou de Joël ? Est-ce que la femme qui tient la réception au gym où je vais de temps à autre et que les gars n'arrêtent pas de regarder à s'en décrocher les orbites n'a jamais suscité chez moi le moindre frémissement ?

Non. La réponse à toutes ces questions est non. Je fais quoi, moi ?

531 jours. Je suis chez Pascal, et je regarde les films étrangers que je lui ai prêtés et qu'il a laissés traîner en grosse pile près de sa mini bibliothèque.

— Qu'est-ce que tu fais ? me questionne Pascal.

Je prends un des films. *Sala Samobójców* est dans la course pour devenir mon préféré à vie. Je montre le DVD à Pascal.

— Est-ce qu'il y a un message que je dois comprendre dans ton non-verbal ?

— Il a de la gueule, que je réponds en pointant le personnage principal. Genre... vraiment beaucoup.

Il hausse un sourcil et je me mets à rire. À ricaner tout seul comme un imbécile. Je le trouve beau, cet acteur-là. Je pense que l'infirmier qui fait mes prises de sang à l'hôpital a de super beaux yeux. Et que le gars qui est toujours au gym en même temps que moi a un corps malade. Ah ! Et la fois où j'ai percuté un gars vraiment *cute* dans le métro... ça m'a pris trente secondes avant de faire partir la sensation que j'avais au creux de l'estomac. Et puis Carlos, un des gars du collège... je ne peux m'empêcher de le regarder quand je le croise dans les corridors. C'est clair, non ? Que les gars me font de l'effet ? Ah, ironie !

— Pourquoi tu ris ? me demande finalement Pascal.

J'arrête de rire. Qu'est-ce que ça fait de moi, d'aimer les gars ? Je suis gay ? Est-ce que c'est possible, ça ? Gêné, j'avoue :

– Je pense que je suis homo.

Je vois Pascal secouer la tête avec son demi-sourire qui me dit que je suis un peu débile, mais qu'il me tolère.

– Tu sais que tu te compliques la vie pas rien qu'un peu ?

Je ne réponds rien. Ce n'est plus drôle. Si je me considérais fille, je serais hétéro, mais je suis un gars... Je suis trans. Gay, en plus de ça ?

– C'est pas grave, poursuit doucement Pascal. Je savais bien que t'aimais pas les filles, c'est pas une surprise...

– Quand même... c'est tellement compliqué.

– Pour ceux qui réfléchissent trop, c'est compliqué, acquiesce-t-il. Pas pour ceux qui savent qu'on ne peut pas tout comprendre.

J'aime cette idée.

Presque tous les FTM se disent hétéros ; ils aiment les femmes. Pas moi. Je n'ai pas envie de ne pas être la norme. Être hors-norme dans un groupe qui est déjà plus que hors-norme ? Non, merci !

– Tu n'es pas aussi souriant que d'habitude, remarque la psy lors de mon rendez-vous suivant. Ça va à l'école ?

– On me traite de lesbienne sans arrêt, ça n'a pas changé.

– Tu m'as dit que ça ne t'affectait pas.

– C'est juste que... les gars comme moi sont supposés aimer les filles et je... je sais pas, je ressens rien.

– Rien pour les filles ou rien pour personne ?

Je ne réponds pas. Est-ce que c'est comme ça que tous les homosexuels se sentent quand on parle de leur orientation : gênés et mal à l'aise ?

– Les gars comme toi, comme tu dis, ne sont pas supposés aimer les filles, reprend la psy. La majorité les aime, c'est tout. La majorité des hommes préfère les femmes, mais il y a une minorité qui apprécie les autres hommes. Personne n'est supposé être de telle ou telle manière.

Je soupire.

– J'ai l'impression d'être tellement loin du centre !

– Quel centre ?

– La normalité.

La psy sourit. Elle et moi savons que c'est une notion très floue...

Je relate la conversation à Pascal. Nous sommes au *skatepark*, le dimanche matin. Les lieux sont déserts et nous sommes assis dans une demi-lune, le dos contre la paroi.

— Tu vois, commence-t-il, je pense que personne est normal. Ça veut dire quoi, normal, de toute façon ?

Je réfléchis longuement avant de répondre :

— C'est faire partie de la majorité.

— Tu peux pas toujours faire partie de la majorité. Crime, j'ai juste ma mère, pas de frères et sœurs, je suis pas normal ; je fais pas de sport, je suis pas normal ; je mets de la moutarde dans ma poutine...

— T'es *vraiment* pas normal..., que je finis à sa place.

— Pourtant, toi, tu l'es. Je veux dire, t'as la famille de la majorité, t'agis comme la majorité... C'est pas parce que t'as *une* différence...

Je mets mes mains derrière ma tête, ce qui me fait glisser un peu plus bas que Pascal. Il me suit.

— Ç'a pas juste à voir avec le fait que tu sois trans... Regarde les nuages, continue Pascal en pointant le ciel. Depuis que t'es petit, on t'apprend à dessiner un nuage de telle manière, avec les bouts arrondis, c'est comme... Un nuage normal, ç'a l'air de *ça*, mime Pascal en traçant un nuage comme dans les albums pour enfants. Mais merde, y en a pas de nuages comme ça dans la vraie vie !

J'aime quand il s'emporte de cette façon ; il parle fort, il gesticule, il me prend à témoin, mais n'attend jamais mes réponses.

– Je pense que la normalité, ça existe pas. Si un nuage comme on te montre au préscolaire existe pas pour de vrai, pourquoi tout ce qu'on pense qui est normal le serait vraiment ? Qui dit qu'on n'est pas conditionnés à voir tel ou tel truc comme étant « ce qu'il faut faire » et le reste comme étant bizarre ? Qui dit que c'est pas le contraire au fond ? Qui a dit qu'un gars avec un vagin était anormal ? Parce qu'on voit des gars avec des pénis tout le temps, qui décide que le reste compte pas dans la normalité ? La normalité, ce n'est pas une loi !

Pascal grogne à haute voix, exaspéré, et je ris un peu.

– T'as fini ?

Il me regarde et un sourire étire ses lèvres. On fait ça un bon moment, tenter de voir pourquoi il y a tellement de petites boîtes dans lesquelles sont enfermés les choses et les gens, à un point tel que tout a une catégorie, que tout peut être exclu.

À discuter comme ça, Pascal et moi, je sais qu'on ne va pas changer le monde, mais ça fait toujours du bien d'essayer.

14 ans 10 mois

J'en ai assez de l'école... Du collège. J'habite à côté d'une école publique, celle que Pascal fréquente, c'est tellement injuste que je ne puisse pas y aller ! Les gens au collège, ils sont tellement... Pas tout le monde, évidemment, non plus la majorité, mais la dizaine de personnes qui s'acharnent sur mon cas font de chaque maudite journée une énième guerre. Ils sont là à m'insulter, à tenter de me ridiculiser, à crier n'importe quoi sur mon compte ou à me poser les questions les plus embarrassantes possible. C'est sans compter les bousculades et les coups sournois. Je ne comprends pas ce que ça leur apporte ; même s'ils n'aiment pas ça, je serai toujours trans, peu importe le nombre de blagues stupides qu'ils vont me lancer...

Je continue à regarder plein de vidéos sur You-Tube, des trucs appelés *It Gets Better*. Ça me donne un peu de courage. Si les gens sentent le besoin de faire ces vidéos, c'est qu'ils ont eu la vie dure et je me sens un peu moins seul. Même si nos problèmes sont vraiment différents, ce n'est pas grave... J'espère qu'ils ont raison, que ça va *getter better*.

Un an et deux mois avant les hormones, c'est tellement long... Des jours, je me dis que j'arriverai jamais à attendre. Voir les autres changer alors que toi tu ne le fais pas, c'est dur. D'autres jours, je me compte chanceux d'avoir mes injections de bloqueurs. Je ne saigne plus, je n'ai pas beaucoup de poitrine. Je ne me déteste plus autant qu'avant et, si je me regarde, je n'ai pas peur de voir un changement. J'essaie de faire la paix, mais c'est dur.

Cours de hip hop. Dominic est vraiment *cool*, il est drôle, il est patient, il a de bons goûts musicaux. On est presque amis. Presque. Comme si notre amitié ne tenait que par un petit doigt. Il me fait penser à Pascal, souvent. Il parle plus, mais il ne demande pas de paroles en retour. Il regarde. Ses yeux veulent savoir tellement de trucs...

– T'as pas *frenché* Picasso cette semaine, remarque-t-il au début de notre cours du dimanche. C'est bien.

Il veut dire que je ne me suis pas fait taper dessus. Ça me fait sourire. S'il savait que j'appelle les éraflures et les bleus des blessures de guerre, je pense qu'il trouverait ça drôle. Mais il voudrait savoir pourquoi il y a une guerre et ça, je ne veux pas lui en parler.

C'est ma deuxième session de danse avec lui. Il devient important ; il a toujours un bon mot et, quand j'ai mal, on dirait qu'il le sait. Tout comme Pascal qui, avec un « Éloi » prononcé doucement, me rappelle qu'il est là ; Dom, avec un petit hochement de tête, me fait sentir compris. Je suppose que, lui aussi, il a ses mystères. On n'a que deux ans de différence, mais, avec ma tête, on dirait qu'on en a cinq. Dom s'en fiche.

Je porte encore un bandage autour de ma poitrine, les cheveux courts, les vieux trucs de mon frère. Bref, je ressemble à n'importe quel ado. Ben... presque. Je grandis, mais pas aussi vite que les autres ; c'est à cause des bloqueurs. J'ai encore une vraie *baby face* aussi, ce qui ne m'aide en rien à l'école.

Alors que toute la classe répète la chorégraphie, je me mets à avoir mal au cœur. Mal dans le sens de « il va imploser », pas dans le sens de « je vais vomir sur tes souliers ». C'est mon bandage. J'ai de la difficulté à respirer, mais il y a quelqu'un aux toilettes. J'entre dans le bureau principal sans un mot en passant devant Dominic. J'enlève mon chandail.

Je me retourne quand j'entends un bruit derrière moi. Dom me fixe, les pupilles sur mon torse. Sans chandail trop grand, on voit que j'ai une taille, pas de poils, je sais que je suis un peu trop maigre. Il referme la porte prestement.

Je pense que j'hyperventile, il y a une tempête à l'intérieur. Le bandage me serre beaucoup trop. Je le défais, me cache, et il tombe à mes pieds.

Le bras contre la poitrine, j'inspire et expire à quelques reprises. J'entends la musique de la chorégraphie reprendre. Dominic regarde mon bras qui cache mes seins. Peu importe à quel point j'aimerais être brave et insensible, je sais bien que j'en suis incapable. Mes yeux se noient en une seconde.

– Attends ici, OK ? dit Dominic. Il reste juste dix minutes.

Je me retrouve tout seul, à moitié habillé, après avoir été humilié par un truc qui est censé me faire sentir mieux dans ma peau. Je reprends mon bandage humide de sueur, le roule.

Dominic parle un peu aux élèves qui quittent le studio. Puis il revient dans le bureau. On dirait qu'il va pleurer tellement ses yeux sont tristes.

– Ça va ?

– C'est moi qui devrais te demander ça.

Il approche une chaise devant la mienne. Silence. Je viens de tout gâcher. Notre amitié ou peu importe comment on pouvait l'appeler.

– J'étais sûr que t'étais un gars, soupire Dominic. Pourquoi tu ne m'as pas dit que je me trompais ?

– Tu te trompais pas, c'est juste...

Je croise les bras contre ma poitrine encore plus fortement.

– J'étais une fille quand je suis né, OK ? Mais c'est juste mon corps. Ma tête... Je suis un gars, OK ?

– T'étais... oh.

– Est-ce que je peux continuer à prendre des cours avec toi ?

J'abandonne l'idée de ne pas pleurer. Je ne suis pas très bon avec le rejet, c'est clair.

– Ben, oui tu peux, voyons.

Du revers de la main, j'essuie mon œil gauche, le traître qui coule.

– Pleure pas, murmure Dominic. Non, tu sais quoi ? Pleure donc, t'as l'air d'avoir besoin de faire une crise.

Il s'adosse à sa chaise, les bras croisés. Je ne peux m'empêcher de sourire un peu quand il lance : « J'attends. »

– J'ai deux sœurs et un frère plus jeunes, je suis habitué aux crises de nerfs. C'est essentiel à la survie humaine... Est-ce que c'est pour ça qu'on t'écœure ? me demande-t-il soudain. Parce que t'es... Comment on dit ?

J'hésite, murmure :

– Transsexuel.

– C'est ça, chuchote Dominic, comme pour lui-même. C'est dur, hein ? Tu te bats... Je le vois sur ton visage...

– C'est sûr, j'avais un œil au beurre noir, que je marmonne.

– C'est pas ce que je voulais dire, mais OK, c'est noté, tu veux pas en parler.

Son tact me fait presque sourire. Dominic attrape mon bandage sur le coin du bureau.

– T'avais le dos tout rouge tantôt, dit-il en faisant rouler le cylindre de tissu entre ses doigts. C'est pas dangereux de faire ça ?

– J'ai pas de carte de crédit pour m'acheter un vrai *binder* sur Internet...

– Un quoi ?

– *Binder*. C'est pour... que ça ait l'air plat. Et ça fait moins mal.

– Oh.

Dominic me rend mon bandage.

– Tout à l'heure, tu étais tellement blanc, Éloi... Tu peux pas le mettre moins serré quand tu viens au cours ? Je veux pas que tu tombes dans les pommes.

Je fais oui de la tête. Il se penche vers moi pour me toucher le genou.

– Viens, je te ramène chez toi, OK ?

– C'est tout ? Tu... tu vas rien dire ? Tu veux encore que je te parle ? Tu penses pas que je suis un malade mental ? T'es pas obligé de faire comme si ça ne te dérangeait pas, j'ai pas besoin de pitié. Ça aide pas, la pitié.

Dominic penche la tête sur le côté. Il me fait tellement penser à Pascal, des années auparavant, quand je lui ai dit que je croyais être trans, que je m'attendris presque.

– Toi, t'as vécu pas mal de trucs dégueulasses...

C'est tout ce qu'il dit et, même si je ne veux pas me plaindre, je pense que je suis d'accord.

Les semaines passent. Dom est mal à l'aise, moi aussi. Peut-être qu'il s'est rendu compte que j'avais besoin de plus de gentillesse qu'il n'avait l'intention de m'en donner ? C'est dur de comprendre comment je me sens quand on ne le vit pas, je sais.

– Regarde-moi, me demande Dominic un soir. Regarde-moi.

Je le regarde. Il sourit. Et c'est tout. Ça me donne presque envie de pleurer.

La semaine d'après, à la fin d'un cours, quand les autres sortent peu à peu, il me retient. Me tend un sac blanc, que j'ouvre.

– Tu m'as acheté un *binder* ?

– J'ai pris le plus petit vu que...

– Que je suis un nain, dis-le.

– Un hobbit, mettons.

Mon sourire se fane. J'étudie la camisole blanche que je tiens entre mes mains. Je sais que j'ai besoin d'un truc comme ça, je le sais. Mais j'ai honte, je ne voulais pas demander qu'on m'en achète un.

– *Cheer up !* s'exclame Dom. Fais-moi une parade...

Je vais aux toilettes pour l'essayer et en ressort avec mon chandail sur le dos et mon bandage dans la main.

– Et puis ?

– C'est malade... *My God,* c'est malade...

J'inspire, expire. Liberté. Et poitrine plate. Je passe la main sur mon torse. Je ne sens rien. Rien.

– Merci, que je dis à Dominic. Il faut que je te rembourse, combien je...

– Laisse faire ça... Tu m'as fait confiance, c'est pour te dire merci.

– Tu sais que... que, un jour, je vais être un vrai gars et je...

Je me tais ; je ne sais pas ce que j'essaie de dire. « Merci » me semble inadéquat. J'ai l'impression que je lui dois un bout de mon intimité pour compenser.

– J'ai fait mes devoirs, m'explique-t-il avec un sourire. Google et moi, on a discuté. Pour toi, c'est en dedans... Je veux dire, c'est un autre de ces trucs invisibles qu'il faut accepter... Et t'es déjà un vrai gars, c'est ce que j'ai compris.

La session de danse se termine, je me réinscris pour l'été. J'ai deux vrais amis maintenant. C'est si simple avec Dominic. J'avais besoin d'une main à laquelle me raccrocher, il m'a tendu la sienne et ne semble pas vouloir me lâcher.

Faites qu'il ne me lâche pas.

92 jours.

91...

90...

C'est long, je recommence à être fatigué. J'ai coupé. Pas souvent, mais des fois... il faut que je sorte de moi et c'est le seul moyen. Une ligne ou deux. Un peu de sang, une brûlure et ça va mieux.

J'ai encore tellement mal, parfois. Quand je comprends que jamais je ne serai normal, que jamais on va me regarder nu sans savoir que je ne suis pas comme je suis né. Ou quand je pense au temps qui passe trop peu rapidement. C'est tellement long... C'est fatigant d'espérer.

C'est Pâques. Quelle famille se réunit à Pâques ? La mienne. Je n'ai pas une grosse famille, quelques tantes, quelques oncles, qui emmènent chacun un ou deux cousins-cousines.

Je déteste ces réunions, les embrassades forcées, les fausses discussions. Ils serrent tous la main de mon frère, mais pas la mienne ; ils m'embrassent sur les joues. J'ai l'impression que mon recul et ma gêne ne se rendent pas jusqu'à eux ; ils ne me considèrent pas comme un garçon, c'est certain. Sinon, ils me serreraient la main.

Ils pensent que je suis étrange. Ils le disent parfois.

Je me rappelle cette fois, tout juste après qu'Annabelle est née. Ma mère cuisinait tout en parlant au téléphone avec ma tante Andrée. Elle avait mis le téléphone sur le haut-parleur pour pouvoir continuer sa préparation. Du pied, je berçais Annabelle en complétant mes mathématiques.

– Elle est très tranquille, disait ma mère. Elle fait déjà des quatre heures en ligne la nuit, c'est plus que ce que les deux premiers faisaient à deux mois !

– Reste à espérer qu'elle ne sera pas aussi bizarre que l'autre...

J'ai levé la tête. L'autre, c'était moi. Ma mère a rapidement pris le téléphone et je n'ai plus rien entendu. J'ai regardé ma petite sœur endormie, ai touché ma cuisse, pas celle où je coupe. L'autre cuisse, celle où j'ai mon injection de bloqueurs. Ça m'a fait mal d'entendre ces mots-là parce que j'ai réalisé que beaucoup de gens allaient les penser sans les dire, ou les dire sans que je puisse les entendre.

Je me suis construit un mur. Un haut panneau, solide, insonorisé, pour que, pendant les fêtes de famille, je n'entende rien, ne sente rien, ne voie rien. Ça ne marche pas très bien, j'ai l'impression d'être entouré d'étrangers. Mes cousins trouvent ça *cool*, mes cousines me posent plein de questions, mais les adultes... ils ne cessent de faire des commentaires à mes parents.

– Qu'est-ce que vous allez faire ensuite ? La laisser redevenir une fille quand elle va se rendre compte que c'était stupide ?

– Il ne faudrait pas qu'elle influence Annabelle, faites attention.

– Tu vas la laisser prendre des hormones ? Comme les *bodybuilders* !

– Je ne suis pas capable de dire « il ». C'est pas un garçon. Ça va sûrement être plus facile avec de la barbe... Imagine ! De la barbe sur ta fille !

J'entends mon oncle ricaner et je lève les yeux. Mon père a le visage grave. Il est en colère. Ce doit être difficile pour lui de ne pas me prendre par les épaules et de crier : « Écoute ! Écoute-les ! » Je sais qu'il est d'accord avec ce que les autres disent.

Alors que je suis dans la cour, assis près du petit terrain de volleyball improvisé, ma tante Francine me caresse la tête et s'accroupit près de moi.

– Tu auras bientôt seize ans, me dit-elle. Ne fais pas ça.

J'inspire. C'est tellement simple de laisser aller ma colère avec eux. C'est comme si, en n'essayant pas de comprendre, ils me donnaient le droit de prendre mes distances. Je ne suis pas de cette famille.

– Tu vas le regretter. Tu ne seras pas un aussi beau garçon que tu l'aurais été en fille, Éloïse.

– Je serai laid, alors..., que je rétorque en me levant.

Je la laisse, je n'ai pas envie de me fâcher. Une fois, j'ai dit que je voulais seulement vivre. On pense que j'exagère. Que ce n'est pas si dur. « Endurcis-toi. Endure. Ça ne peut *pas* faire mal au point où *tu* nous fais vivre, à *nous*, ce changement. Changer ton nom, les pronoms, te voir autrement, c'est difficile pour *nous*. » Et moi ? Je sais que c'est compliqué, je le sais ! Mais qu'ils essaient d'être à ma place, une seule journée... Une seule. Vivre dans un corps qui n'aurait pas dû être le tien... ça te fait approcher de la limite... Celle entre la vie et... rien. Je ne veux pas être rien. Même si j'ai peur de la vie, je ne veux pas être rien.

Plus tard dans la soirée, après le jambon et les petits pains chauds, mon autre tante me dit :

– Qui va pouvoir accepter d'être avec quelqu'un qui n'a pas le bon sexe, tu y as pensé ? On veut ton bien, on ne veut pas que tu sois toute seule...

Et puis mon oncle en rajoute :

– Je sais que tu as perdu ta place de bébé avec l'arrivée de ta sœur, mais tout ça n'aidera pas tes parents à te donner de l'attention.

Ils m'énervent tellement... J'ai essayé de discuter du sujet, mais... c'est dur d'en parler. Ils ont cette image de ce que devrait être ma vie et... Je ne veux pas que ma vie soit l'idée de quelqu'un d'autre.

– Annabelle a plus de deux ans, leur fais-je remarquer. J'ai passé par-dessus la perte de ma place, vous pensez pas ? Et puis, de l'attention, j'en veux pas. Je veux juste qu'on me laisse tranquille !

– Éloi ! lance ma mère.

Je ne l'écoute pas, je monte les marches pour aller à ma chambre. J'entends mon frère siffler et maman, avec des mots de mère, lui dire de la fermer.

Changer mon corps n'aidera rien ni personne d'autre que moi. Moi, mon âme, mon cœur, ma tête. Ça n'a à voir qu'avec *moi*. On me traite d'égoïste quand j'ai le dos tourné. Ça, au moins, c'est un peu vrai.

87 jours. Aujourd'hui est l'une de ces journées où j'aurais aimé que ma mère croie encore à l'excuse de la gastro que je lui lançais l'an passé. Je n'avais pas envie d'aller dans l'arène, j'avais besoin de congés. Pour reprendre des forces. Elle a vite compris que j'évitais l'école, mais je ne lui ai jamais dit pourquoi. Je me souviens des règles de ma transition : ne pas me plaindre.

Presque deux ans depuis que j'ai fait mon *coming out* à l'école. Deux ans et demi de bloqueurs. De paix d'esprit, de déni de puberté, mais de solitude aussi, de mots qui font mal et de paroles que j'aimerais reprendre. Peut-être que je n'aurais pas dû en parler. Aujourd'hui est un de ces jours où je m'ennuie d'Éloïse. De son anonymat. Quand on me pensait fille, on me trouvait bizarre, mais personne ne me voulait du mal. Alors que maintenant...

À l'école, il y a des jours où rien ne se passe et d'autres où tout va mal. Je ne sais jamais à quoi m'attendre quand je franchis les portes le matin. Quand personne ne m'embête pendant quelques jours, j'ai appris à ne pas m'imaginer avoir finalement gagné la bataille contre les imbéciles... Ça ne dure jamais et je me retrouve à la case départ du courage. Comme si toute la force que j'accumulais pendant les jours de paix n'était jamais suffisante pour les jours de guerre. Ma ligne de vie est verte et puis jaune et puis rouge...

J'allume mon iPod, trouve la chanson sur laquelle je travaille avec Dom. Il m'aide à donner un cours aux plus jeunes de l'école. L'an prochain, j'aurai mes propres groupes. Ça me fait un peu d'argent, que j'économise comme si j'étais l'oncle Picsou. Les opérations pour les trans sont payées ici, au Québec. Pour le moment. Qui sait quand ça va changer... Il me reste plus de deux ans avant d'être majeur. Et je *dois* me faire opérer, enlever mes seins. Me libérer.

Je suis devant mon casier, je cherche mon livre d'éthique. Je déteste ce manuel. On sait tous ce qui est bien ou mal, et pourtant, parfois, les gens ne se posent pas de questions et font du mal. En dehors du livre, il y a tellement de choses et plusieurs zones grises...

Une fois trouvé, je glisse le cahier dans mon sac. Quelqu'un frappe sur le casier près du mien et je sursaute. Mes écouteurs me sortent des oreilles. Je ne veux pas me retourner. J'ai demandé à changer de casier, mais on a refusé. Je ne voulais pas être dans le coin de la rangée, près du mur. C'est dangereux, les coins. Quelqu'un presse mon épaule, me retourne. C'est Pas-de-couilles, il a les deux fils de mes écouteurs entre les doigts. Je lui demande :

– Tu veux qu'on partage ? C'est romantique.

J'ai une grande gueule. Je n'y peux rien. Avec les bloqueurs d'œstrogène, j'ai la force d'un ti-cul de douze ans. Qu'est-ce que je peux faire d'autre qu'ouvrir ma trappe pour me défendre ?

Le gars, il rit. Je pense que c'est parce que je deviens un peu blanc quand un autre gars avec qui il se tient s'avance vers moi. Je regarde autour. Frénétiquement serait un bon qualificatif.

– Tu vas crier comme une fille ? suppose-t-il.

Pas trop loin, il y a deux filles et un gars que je ne connais pas. Je sais qu'ils mangent tous ensemble, mais c'est tout. C'est la fin des classes, il n'y a presque personne. Pas de sauveur, c'est sûr.

201

– Tu les veux ? me demande Pas-de-couilles en balançant mes écouteurs.

– Je te les donne ! T'as même pas assez d'argent pour t'acheter un cerveau, tu fais pitié.

Je sais, je sais, pas besoin de le dire, je l'ai cherché. Ça fait tellement longtemps qu'il me pousse à bout, ce gars-là, que je ne peux pas résister.

– Connasse, marmonne-t-il entre ses dents.

Il me lance les écouteurs au visage. J'ai vraiment peur, je sais qu'il va me frapper. Il n'y a pas de surveillants pour l'en empêcher, de profs... Il tend le bras et je ferme les yeux. Je préfère un coup à une insulte. Les mots font beaucoup plus mal qu'une tape sur la gueule.

– Tiens-lui les mains, ordonne-t-il à l'autre.

Qu'est-ce qu'il fait ? Oh non...

Mon chandail. Il me touche le ventre, je ferme les yeux très fort. Que je ne sente pas ses doigts sur ma peau. Je pense à... À Pascal. Au studio de danse, à...

On tire sur mon *binder*, celui que Dom m'a donné. Dom. Il ferait quoi, là, maintenant ?

– Même si tu les caches, tes seins, on sait qu'ils sont là...

Je lui crache au visage. Je sais que c'est moi qui l'ai fait, mais je ne sais pas où j'ai trouvé l'énergie. Il s'essuie la figure.

Mes pantalons. Il les détache, les tire vers le bas d'un mouvement brusque. Il appuie mes poignets contre le métal du casier. Pas-de-couilles pousse ma tête vers le mur pour que je bouge moins. Il rit alors que j'essaie de me libérer. Il faudrait que je crie, hein ? Oui, un cri. Rien ne sort de ma bouche, rien du tout. Peut-être un bruit de sanglot, je n'en sais rien, ma tête bourdonne, mes poumons brûlent, mon cœur travaille trop. Est-ce que c'est ce que les autres ont ressenti ? Tous ceux dont j'ai lu les histoires sur Internet, tout ceux qui se sont fait agresser et sont morts ?

Je sens le pantalon de l'autre gars sur ma cuisse nue.

– Est-ce que c'est là que tu reçois ta drogue ? me demande-t-il en touchant mes cicatrices.

C'est encore pire de me faire toucher là... si près de... Je me mords les lèvres, serre les poings. Il appuie dessus, c'est comme s'il touchait ma douleur. La mienne ! Ce ne sera jamais la sienne !

– Nope, pas de pénis, c'est évident, constate-t-il en ricanant. Faudrait regarder comme il faut...

Je panique, j'ai trop peur qu'il baisse mes sous-vêtements aussi. Je pense que je le supplie. Et là, je crie. Un son aigu, désespéré.

– Elle va pleurer, regardez, dit une des spectatrices, pas trop loin.

J'entends des bruits de pas. Ils ne vont pas vers les portes, ils approchent. Faites qu'ils approchent. Les autres les entendent aussi parce qu'on me lâche. Une chance que le mur est là...

– Viens, ordonne le deuxième gars à l'autre.

Mon front est mouillé. Il a déjà tourné les talons quand je réalise qu'il m'a craché dessus aussi. Je m'essuie avec mon chandail. J'ai les yeux pleins d'eau en attachant mes pantalons.

Quelqu'un arrive au bout de la rangée de casiers, se fait bousculer par ceux qui se sauvent. Il n'est pas grand, ce doit être un élève de première secondaire. Son regard va de moi aux élèves qui s'éloignent. Je suis à bout de souffle.

– Ça va ? me demande-t-il.

Il fait un pas en avant. Je lève la main. S'il approche, je vais me mettre à pleurer.

– Tu aimerais que j'appelle quelqu'un ? me questionne-t-il encore.

Je fais non de la tête. Est-ce qu'il sait ce qui s'est passé ? Finalement, il part et je reste là, tout seul, le cœur qui bat encore comme un malade.

J'ai manqué l'autobus alors je marche. Je regarde au moins dix fois si mes pantalons sont bien attachés, et au moins vingt fois, je me retourne, pensant que les idiots m'ont suivi. À la maison, même si j'entends ma mère m'appeler et Annabelle crier « Loi ! », heureuse de me voir, je cours jusqu'à la salle de bain. Je veux prendre les ciseaux, mais je n'en ai même pas la force. J'appuie ma tête sur le miroir. Je vois ma peine de très près. Je n'ai pas de larmes pour ce moment et j'en suis surpris.

Rapidement, je me déshabille. Il *faut* que je me lave. Sous l'eau chaude, je tente de reprendre mon souffle. C'est dur. Quand je sors, j'ai encore l'impression qu'on me serre de l'intérieur. Je suis tanné... Si je n'avais pas été à l'école... Si j'avais été dans la rue, tard le soir... Qu'est-ce qui se serait passé, hein ?

J'ai la chair de poule. Je ne sais pas si c'est parce que je suis nu ou parce que la peur grimpe sur mes bras. Pour une fois, mes pupilles ne font pas d'évitement et je me regarde. Longtemps. Mets mes mains sur ma poitrine. Ils sont petits, mes seins, ils entrent dans ma paume. Je les serre ; rien à faire, ils ne rentrent pas dans ma peau.

J'ai l'impression d'être... d'être un casse-tête. Oui, c'est ça, un casse-tête. À refaire, à reconstruire, parce que les morceaux sont en place, ils s'imbriquent l'un dans l'autre, mais l'image n'est pas la bonne.

Heureusement, dans le miroir de la salle de bain, je ne vois que mon torse et ma tête. Je ne veux pas voir mon entrejambe. L'entrejambe qu'on m'a donné sans me consulter. Je ne sais toujours pas ce que je vais faire avec ça...

— Tu veux en parler ? me demande Pascal, deux jours après l'attaque dans les casiers.

On est au *skatepark* à nouveau. Il est tard, le soleil se couche. Il ne sait pas ce qui s'est passé. J'ai trop honte, je ne veux pas le lui dire.

— Tu *feeles* pas, je le vois bien. Qu'est-ce que t'as ?

— Je vais bien.

— Menteur. Si t'étais dans un dessin animé, il te pleuvrait dessus tellement t'es sombre.

— 85 jours, Pascal. C'est tout.

— 85 jours, répète-t-il.

16 ans

C'est aujourd'hui. Le jour zéro. *Sweet Sixteen*. J'ai rendez-vous chez le docteur. Il va me donner son OK. Ou me briser le cœur. Il pourrait, s'il pense que je ne suis pas prêt. Mais je suis prêt.

Ma mère ne m'accompagne plus à mes rendez-vous depuis longtemps, mais on sait que celui-là est important, alors elle est présente.

Mon visage doit s'éclairer comme les *spots* d'un stade un soir de match quand le doc entre dans son bureau en souriant.

– Ne t'énerve pas, Éloi... Bon, d'accord, tu peux t'énerver. On commence.

Je ferme les yeux et je sens la main de ma mère sur mon bras. Ses doigts glissent jusqu'aux miens et je les serre comme si j'avais besoin qu'on me tire de l'eau. Elle a un sourire crispé, j'ai les yeux brillants.

Le soulagement que je ressens quand le doc continue de parler et qu'il prononce le mot « testostérone », ça ne se décrit pas. C'est comme un don de vie.

– Je veux que tu relises ce dépliant.

Il glisse un autre petit tas de feuilles vers moi. Je sais ce que c'est : à quoi s'attendre quand on prend de la testostérone. Je l'ai déjà lu. Cent fois. Mille fois. Mais je vais le relire. Juste parce que c'est lui qui me le demande. Avec lui, je suis juste Éloi, je suis bien ordinaire. Je suis plate, même. Un patient comme un autre. Mais je suis un humain, même si je suis différent. Jamais je ne pourrai assez remercier ce doc-là de me l'avoir fait comprendre.

C'est dans deux jours, ma piqûre. Après l'école, vendredi.

Le doc et tous ses stagiaires seront là. Je n'aime pas trop quand plusieurs personnes sont sur mon cas comme ça, j'ai l'impression d'être malade. Mais là, tout l'hôpital pourrait y être, je m'en fous ! Qu'on me pique le derrière en public, ce n'est pas grave !

Dans deux jours, je vais être sous hormones ! J'attends ce moment depuis des années. J'ai lu les histoires d'autres gars qui débutaient les rencontres avec leurs psys et qui avaient les hormones presque aussitôt. Ils sont majeurs, c'est pour ça. Des fois, sans aucun droit, je déteste ces gars-là, je suis juste jaloux. Dans d'autres pays, des enfants, dès le début de la puberté, peuvent avoir des bloqueurs et ensuite des hormones, avant leurs seize ans. Ça aussi, ça me rend un peu jaloux parce que, eux, ils n'ont pas beaucoup de rattrapage à faire. Moi, j'ai des seins, et si j'avais commencé plus tôt, j'aurais pu m'épargner une opération, peut-être.

J'aurais aimé avoir le courage de parler à mes parents avant. J'aurais aimé que mon père soit moins bouché. Comme ça, on aurait pu aller voir mon psy avant, j'aurais pu avoir les bloqueurs avant, j'aurais pu...

Mais bon, assez de conditionnel. Ce n'est pas ce qui s'est passé.

J'ai l'impression que ma vie va enfin commencer. Ma vraie vie.

Une nouvelle puberté, la bonne.

Mon père, mon frère et ma petite sœur sont déjà tous attablés devant le souper quand ma mère et moi rentrons. On ne parle pas beaucoup de ma transition à la maison, et ce, pour plusieurs raisons. La principale étant que mes parents ont encore honte (mon père plus que ma mère, c'est évident) et ils ont peur que ça donne des idées à Annabelle. Comme si savoir que je suis trans allait lui donner le goût de « transitionner » ! N'importe quoi... Ça prouve qu'ils n'ont rien compris...

Habituellement, je respecte les règles non écrites de la maison, mais ce soir... je suis juste trop content. Mon frère me demande :

— Qu'est-ce qu'il a dit ?

Il sourit comme un malade. Quand je hoche la tête positivement, il se lève et vient m'attraper par-derrière. Il me serre juste une seconde. Il n'est pas très bon avec les mots, mon frère, mais ses gestes sont suffisants.

— Enfin de la testostérone, que je soupire.

— Éloïse.

Je tourne les yeux vers mon père. Il est presque le seul à ne pas respecter mon nom. On s'engueule tellement souvent, on dirait que ça lui donne l'impression d'avoir un pouvoir permanent sur moi, de toujours m'appeler par mon prénom de naissance.

— C'est quoi, tatostatonne ? demande Annabelle.

Joël et moi, on rit un peu, et même maman sourit. Il faut ignorer ma sœur, ne pas répondre aux questions dont elle ne comprendrait pas les réponses. Elle a deux ans et demi, elle ne sait pas que je suis né comme elle.

— Ma première *shot* est dans deux jours. Après l'école.

Ma mère hoche la tête. Elle n'est pas super chaude à l'idée des hormones, je le sais. Les bloqueurs, ça passait, c'était « en attendant », ça ne me changeait pas.

– On va être à Québec, dans deux jours, me rappelle ma mère.

– Tu viendras pas avec moi ? que je lui demande, dépité.

Ben quoi ? J'aurais aimé que ma mère soit avec moi pour ma première piqûre.

– C'est mon tournoi de football, dit Joël. On part vendredi midi.

– Oh, c'est vrai. OK. Pas de problème.

Gros ego de gars super nerveux qui vient de voir son deuxième choix partir en auto pour Québec, lui aussi... Ma mère se tourne vers mon père et je lui fais non de la tête. Elle m'ignore ou ne me voit pas. Je penche pour la deuxième option.

– Et toi, Curtis ? Tu es libre, vendredi ?

– Je vais pas encourager le comportement de notre fille en l'accompagnant chez cet imbécile de docteur qui pense que trois ou quatre injections vont régler tous ses problèmes.

Je soupire intérieurement. Même discours depuis des années... Ça devient redondant, mais il a au moins le mérite d'être constant, mon père.

– Je vais y aller tout seul, c'est correct.

– Ben non, proteste mon frère, ça fait des années que t'attends ! Moi, c'est juste un match, je vais...

– Non, oublie ça.

Mon père et moi, on parle en même temps. On se ressemble tellement... Je sais pas si cette idée m'encourage ou me déprime.

– Ça ne me dérange pas de..., commence Joël.

– Tu vas pas tout laisser tomber pour ta sœur, c'est clair ? l'interrompt mon père.

Mon frère ouvre la bouche, mais la referme presque aussitôt. Alors qu'il n'a aucun problème à reprendre ma mère quand elle se trompe de pronom ou à la blâmer de ne pas faire assez d'efforts, il reste toujours muet devant notre père. C'est correct, je comprends. De un, il a choisi de se battre contre la moitié de l'autorité parentale la plus susceptible de lui donner raison et, de deux, s'il prend ma défense, mon père va utiliser ça contre moi pour dire que je ne suis pas un vrai gars...

Je rétorque :

– Laisse faire, Joël. C'est la première piqûre de T de toute ma vie, ça n'arrêtera plus après.

Un silence pesant s'abat sur la salle à manger. Il y a ça aussi que je dois dire sur ma famille : ils ont peur. Quand je mentionne que, ma transition, c'est pour la vie et que je vais devoir avoir un suivi tout le temps, toujours, jusqu'à ma mort, pour finalement être à l'extérieur celui que je suis à l'intérieur, il y a comme un nuage de panique qui grandit et s'installe autour de nous. Il coupe les langues, le nuage.

– Pitûre, pic, pic, pic ! lance soudain Annabelle de sa petite voix aiguë en tapotant la tablette de sa chaise haute avec son index.

Elle tend son bras vers moi pour me montrer quelque chose. Je ne vois rien, mais je fais comme si. Le souper se poursuit et tout le monde fait comme si... Ma mère fait comme si elle ne pensait pas à ce que le doc a dit ; mon frère fait comme s'il n'avait pas envie de crier après notre père qui, lui, fait comme s'il n'avait pas de fils transsexuel. Je fais comme si je n'avais pas peur de ce qui passera dans deux jours.

Une fois dans ma chambre, j'appelle Dominic.

– Tu fais quoi, vendredi ?

– Je sors avec Jasmine, on va au bowling. Tu veux venir ?

J'hésite. De plus en plus, les voir, Pascal et lui, avec leurs blondes, ça me fait mal. J'ai l'impression que je ne pourrai jamais toucher ce genre de... de chance qu'ils ont.

– Peut-être. À quelle heure ?

– On va aller manger vers cinq heures, t'es le bienvenu.

– Je peux pas si tôt, mais je pourrais vous rejoindre à la salle ?

– Si tu veux, dit Dominic. Tu fais quoi avant ?

– J'ai rendez-vous chez le doc. Pour ma testo.

– QUOI ?

Je ricane un peu, alors que Dom s'énerve au téléphone en posant des questions auxquelles il répond tout seul la seconde d'après. Il finit par se calmer et me demande comment mes parents ont réagi.

– Mais tu peux pas aller là tout seul ! objecte-t-il.

– C'est juste une piqûre dans les fesses, franchement !

Il y a un silence et je soupire. Dom sait quand je *fake* le courage. Tout comme Pascal sait quand je *fake* la bonne humeur.

J'ai hâte d'envoyer un message à Pascal. Lui qui a failli ne pas aller en Italie avec l'école parce qu'il savait qu'il ne serait pas là pour le jour zéro...

– OK, OK, que je marmonne. Je t'appelais pour savoir si tu pouvais venir avec moi parce que j'ai la chienne. T'es content ?

– Super content pour toi, Éloi. Oui, je vais venir.

– Mais Jazz...

– Elle va comprendre, t'inquiète pas, on ira manger plus tard, c'est tout. Je peux pas manquer ça. Mon meilleur ami qui devient un homme !

Il rigole au téléphone. Il est con, Dominic. Toutes les fois que les mots « meilleur ami » sortent de sa bouche, je les entends en écho. Ma peau frémit et, même après deux ans, ça me semble impossible. Qu'on m'aime malgré que je sois... moi. C'est stupide, je sais. Ou ce n'est peut-être pas stupide, je ne connais que ça, le doute.

– *Dude ?* me demande Dom. T'es là ?

Je secoue la tête, même s'il ne peut pas me voir. Je souris en disant :

– Je suis déjà un homme, innocent.

– Nah. T'es juste un ti-cul.

Il continue de me niaiser pendant dix bonnes minutes, mais ça ne me dérange pas. Au moins, je ne serai pas tout seul vendredi, pour aller à l'hôpital. Pour avoir ma première injection. De testostérone. Finis, les bloqueurs, on tourne la page. Un nouveau bout de l'histoire va s'écrire... J'en pleurerais de joie si je n'avais pas si peur.

Vendredi, je rejoins Dom à l'entrée de l'hôpital. Il a l'air aussi nerveux que moi. Il fait les cent pas.

– T'as l'air d'un gars qui attend que sa blonde accouche, que je fais remarquer en arrivant derrière lui. Comme dans *Nine Months*, le vieux film avec Hugh Grant.

– Jamais vu, réplique Dominic. Et là, c'est toi qui vas naître ! En plus, j'ai peur des aiguilles.

– Mais t'as un giga *tattoo* !

– Et j'ai eu la chienne de ma vie pendant trois séances de trois heures, OK ?

Je me mets à rire.

– Pauvre petite chose...

– Tu répètes ça à quelqu'un et je t'assomme.

Je ne suis pas intimidé.

Le bureau du doc est en haut. Très haut. Je me souviens de la première fois que je suis venu ici. Est-ce que je croyais y revenir tous les mois pendant aussi longtemps ? Est-ce que je croyais que ce docteur allait me laisser une chance ? Je pense que non.

J'avais besoin que quelqu'un m'explique qui j'étais. Il ne l'a pas fait ; il m'a laissé trouver tout seul. Il m'a sauvé la vie, au fond...

J'aime ça, aller voir la psy. Ça me donne l'occasion de ventiler, de parler de ce qui se passe autour, des insultes à l'école. Avec mes parents, je ne peux pas en dire trop : je ne veux pas faire de peine à ma mère, et mon père va prétendre que je l'ai cherché. Avec Pascal et Dom, je peux en discuter, mais j'évite aussi :

je ne veux pas qu'ils s'inquiètent plus que nécessaire. Avec la psy, je peux laisser sortir tout ce dont j'ai envie et je sais qu'elle comprend. Elle a sûrement entendu des trucs pires que ce que j'ai à raconter. Je n'ai pas le monopole de la douleur, je le sais.

On me prescrit 0,2 millilitre en sous-cutané, toutes les semaines. Pas de trompettes, pas de confettis... Une mini dose pour commencer. Le docteur me montre les aiguilles, la petite bouteille. Une si petite bouteille pour tellement d'espoir...

— Tu vas arriver à te faire tes injections seul ? me demande le doc. Peut-être que tu devrais revenir avec ta mère pour que je lui montre... Ou il y a le CLSC qui...

— Ça va être correct.

Je ne veux pas que ma mère me pique ; ça va la blesser. C'est sa peau à elle qui va être percée, ce serait trop près, trop réel, peut-être. Ou c'est moi qui me sens trop coupable. Un peu des deux, je suppose.

Alors qu'on marche vers le métro, Dominic n'arrête pas de me fixer. Ses yeux noirs me percent le dos. C'est le genre de gars qui regarde, regarde et, après, il parle, alors je le laisse faire un moment.

— Je pense que tu viens de prendre un pouce, dit-il.

– T'es con, que je lance en riant. On en reparlera dans six mois, quand il y aura eu de vrais changements...

– C'est long, six mois.

– Pas tant que ça, si tu considères que j'ai attendu seize ans pour finalement arriver à me faire trouer la peau pour ça.

– Vu de même, acquiesce Dom. Maudites aiguilles...

Je le taquine :

– Je vais peut-être être plus beau que toi, on sait pas ? Tu ferais mieux de souhaiter que ça prenne le plus de temps possible, dans ce cas-là.

– T'es déjà plus beau que moi, *dude.* Toutes les filles des cours sont d'accord avec ça.

Son ton est rieur et il me pousse l'épaule pour me faire entrer dans le métro. C'est faux. J'ai la voix et le visage trop féminins pour qu'on me qualifie de « beau ». Ou ce sont mes critères de beauté qui ne *fittent* pas avec mon visage, je ne sais pas. Mais Dom, lui, il est beau. S'il n'était pas un de mes meilleurs amis, et totalement hétéro, j'aurais sûrement un *kick* dessus. Je ne lui ai pas dit que... ben que j'aime les hommes. Un gars trans, c'est déjà beaucoup, je ne veux pas ajouter une couche de complexité à notre amitié.

16 ans 2 mois

Est-ce que je suis différent ? Plus moi ?

Plus homme ?

Plus vrai ?

Je ne sais pas, je ne sais vraiment pas.

Deux mois, huit injections plus tard. J'ai beaucoup lu avant de commencer la testostérone et plusieurs disaient : « Ça ne fait pas des miracles, ça ne règle pas tous les problèmes. » Même si je savais que ces affirmations étaient un claquement de doigts qui te ramène à la réalité, j'aurais aimé que tout aille vite. Que les gens, dans la rue, sachent que je suis un garçon, qu'ils ne doutent plus. Que les regards étranges cessent, qu'à l'école, ils fassent : « Wow, il change, Éloi, hein ? » Mais c'est un processus lent. J'étais prévenu, mais... Je ne sais pas. Est-ce qu'on peut abuser de sa propre patience ?

— T'es où là ? me demande Pascal.

Je lève la tête, un peu perdu. Tim Hortons, jeudi matin. Je fais le plein de sa présence avant son départ pour le Michigan. Je soupire :

— Loin dans ma tête...

— Ta tête me fait peur.

Je souris.

— T'as toujours peur.

Il rit un peu, marmonne « trop vrai » dans son café glacé. Même si Pascal ne doute jamais de moi et veut toujours que je dise des mots, il voudrait bien que je ne sois pas comme ça, j'en suis sûr. Il y a toujours ce sentiment de fausseté qui entre en moi quand je le vois incertain comme ça. Je suis un mauvais ami. Il me remonte le moral, et moi, je le perds. Culpabilité et transsexualité doivent avoir des racines synonymes.

— Je me demande juste..., commence-t-il avant de me regarder. Tu vas tellement changer... Avec la testo. Ça commence déjà...

Je soupire.

— Enfin ! Il était temps, tu penses pas ?

— C'est clair, mais... je sais pas. Je *feele cheap*, mais j'aimerais ça que rien change, mettons.

Il replace ses lunettes, repousse son beigne et secoue la tête. Tous ces gestes me disent qu'il est super mal à l'aise.

– J'aime comment t'es, dit Pascal. Là, maintenant. J'ai peur que, avec le temps, tu changes trop.

– Trop comment ? Je vais probablement être plus musclé que toi, c'est ça qui t'énerve ? Ce serait pas si compliqué...

– Ben non, épais, objecte-t-il en riant. C'est pas ça, mais ton caractère... Je sais pas, t'es juste super fin et super *tough* en même temps. J'ai peur de perdre cet Éloi-là. J'ai pas le goût que tu vires super macho.

– Macho comme toi ? Avec les fleurs que tu donnes à ta blonde à tout bout de champ, je pense que je vais prendre mes leçons de machisme ailleurs. On dirait que c'est toi qui as le métabolisme d'une fille...

Il roule des yeux en ricanant.

– Tu vois ! J'ai peur que la testo te change au point où l'on puisse plus jamais faire ce genre de *jokes*, tu comprends ?

– Ça va pas arriver, je te le jure.

Il me sourit et regarde autour de nous. Il y a un groupe de filles et de gars assis à une table non loin. Il tend la main pour me toucher le poignet.

– Il y a une partie de toi qui va rester la même, hein ? me demande-t-il finalement.

– Je serai toujours Éloïse, au fond. La même personne que dans les toilettes du primaire... Juste plus... moi.

Pascal ramène son beigne près de lui. Il donne une pichenotte sur une miette en disant :

– Tant que ça te rend heureux, mon vieux.

C'est exactement le but de tout ça. Être heureux. Est-ce que c'est possible ?

– C'est juste que... J'ai aussi peur que ça ait pas l'effet que tu veux, continue Pascal dans un soupir. T'as tellement espoir que la testostérone te change physiquement et c'est un traitement tellement... individuel. Est-ce que tu vas bien aller quand même si tu n'es pas aussi masculin que tu le souhaites ? Imagine, si t'es toujours aussi mal dans ton corps... Ça me ferait vraiment de la peine pour toi, Éloi.

Je ne réponds pas. Il craint que l'hormonothérapie me change trop, mais, en même temps, qu'elle ne me change pas assez.

J'ai la même peur que lui.

Je sors de la douche, enroule rapidement une serviette autour de mon torse. C'est jour d'injection. Je sors la petite boîte à lunch de sous le lavabo et m'assois sur les toilettes. Bouteille de testostérone, tampon stérile, grosse aiguille, petite aiguille, gaze. Je stérilise la bouteille, aspire le liquide avec la grosse aiguille, la remplace par une petite, stérilise un petit espace sur le côté de ma fesse. Pince ma peau. Injecte.

Dans les films, dès que quelqu'un reçoit une piqûre, il change. Vite et de manière indéniable. Pas moi. C'est devenu machinal tout ça, une mécanique simple et méthodique. Je jette les aiguilles dans le pot sous le lavabo, range la boîte à lunch jusqu'à vendredi prochain.

Je ferme les yeux, je m'imagine la testostérone qui glisse dans mes veines, qui trouve tous les recoins... en dedans, jusqu'en haut, jusqu'en bas. Partout où ç'aurait dû être. J'aimerais être assez mature pour me dire que c'est la vie qu'on ait fait erreur avec moi et tout plein d'autres, qu'on ne l'a pas mérité. Parfois, je cherche encore pourquoi.

Je me brosse les dents, me nettoie le visage. Depuis deux mois, il y a quand même plusieurs changements. Rien de majeur, mais je suis vraiment content de me voir changer. Lentement, mais sûrement.

Je suis boutonneux, *j'haïs* ça. Sur le menton, les joues. Je pense que c'est à cause des poils qui vont pousser là. Je n'ai pas de barbe, c'est trop tôt. J'ai grandi un peu. Mots clés : un peu. Deux centimètres, selon les mesures du doc. Ce n'est pas tant la testostérone que le retour de la puberté. Je ne rejoindrai jamais mon père et Joël qui mesurent six pieds, c'est sûr. Je vois les muscles de mes épaules qui se définissent sans effort. J'adore. Entre mes jambes aussi, je change. Le doc m'a expliqué que, quand on est un fœtus, on a tous un petit truc qui ressort et, avec les hormones, soit il grossit pour faire un pénis, soit il rétrécit pour faire un clitoris. Et puis maintenant... avec la testostérone, il grossit de nouveau. Je le savais, on m'avait averti, mais c'est étrange malgré tout. Pour la première fois de ma vie, je regarde cette partie de moi avec un peu moins de dégoût.

Par contre, j'ai mal à la gorge depuis deux semaines. Comme si j'avais un rhume qui ne voulait pas partir. Joël dit que, le matin, ma voix est plus grave. Puis, durant la journée, elle redevient comme avant.

Quand je me dispute avec mon père, on crie toujours. Avant, j'avais assez de contrôle pour laisser aller, mais, maintenant, mon tempérament bout et je réagis plus vite et plus vivement. Est-ce qu'on se chicane plus souvent parce que je réplique plus ou seulement parce que, depuis que j'ai commencé la testostérone, il ne me parle que pour me critiquer ? Je ne sais pas. Je ne pensais pas pouvoir me sentir encore plus loin de mon père... mais c'est le cas. Je m'éloigne, on s'éloigne... Un jour, il n'y aura plus rien, je le sens.

Passons. Autres changements : j'ai assurément plus de poils sur les jambes. Un duvet a commencé à pousser au-dessus de ma lèvre supérieure et près de mes oreilles aussi. Je vais l'enlever, c'est un peu laid, pâle et en petit comité comme ça... Ça paraît à peine.

J'enfile mon *binder* et mon boxer rapidement. Je passe mes doigts près de mon nombril. Je rêve ou... je pense que je commence à avoir une *happy trail*. Léger, léger, mais... Je souris à mon reflet. Je change.

Dom me laisse au dépanneur près de chez moi après notre cours de hip hop. Cet été, j'ai une classe à moi seul. La proprio m'aime bien, je pense.

J'entre, attrape une pinte de lait et un sac de baies lunaires, mes bonbons préférés. En ressortant, je croise Pas-de-couilles et Face-de-pudding. Merde, je ne suis pas d'humeur. Depuis l'autre fois, près des casiers, j'ai une peur panique de ce type, il m'a donné des cauchemars. Son sourire salace, ses gros bras, ses yeux qui... qui me détestent tellement...

– Salut ! lance-t-il.

Je l'ignore, mais ça ne prend qu'une seconde avant que je sente une main sur mon épaule. Mon poing part avant même que j'y pense. Il ne va plus jamais me toucher ! La testostérone ne m'a sûrement pas transformé en Dragon Guerrier, je crois que j'ai plus mal à la main que lui au ventre. L'autre essaie de m'attraper les bras. Mon coup de pied entre ses jambes le fait se plier en deux. Tout va si vite... On échange quelques coups, sur mon visage, mon estomac.

– Hé ! crie une voix.

Qui ? Je m'en fous. Je pars en courant. J'arrive à la maison, essoufflé et tout échevelé. Étrangement fier.

– Éloi ? s'enquiert ma mère de la cuisine. T'as pensé à ramener du lait ?

– Oui, mais...

J'hésite quand je vois mon père descendre les marches, du premier étage au rez-de-chaussée.

– Qu'est-ce que t'as là ? me demande-t-il en me touchant la joue.

Ma mâchoire brûle, je crois qu'un coup de poing est responsable. Je dois être rouge.

– T'as le lait ou pas ? me questionne ma mère en entrant dans le vestibule. Je t'en ai parlé deux fois pourtant...

– Je suis allé chercher du lait, mais il y avait...

Ce genre d'incident a le don de me faire sentir faible... Je ne suis pas faible.

– Il y avait deux gars qui me haïssent et on... on s'est un peu battus, OK ? Je suis parti et j'ai laissé tomber la pinte de lait. Je vais y retourner.

– Qui c'était ? Tu les connais ? Ils t'ont touché ?

– Est-ce que t'es correct ?

226

Le paquet de questions vient de ma mère, l'autre demande plus calme, de mon père. Il me regarde de bas en haut, touche ma joue à nouveau. C'est telle-ment rare qu'il m'approche... La manière dont il me regarde maintenant me dit qu'il s'ennuie de sa fille. On était assez proches quand j'étais petit, même si je sais qu'il m'a toujours trouvé bizarre. Maintenant, ma transsexualité prend toute la place dans notre relation. Pourtant, ça ne devrait pas, je suis toujours le même. Seulement, je ne veux pas me faire dire que je suis la fille à papa. Je n'ai jamais vraiment été sa fille et il le sait très bien.

Il hausse un sourcil. En langage de mon père, ça veut dire : « Réponds sans mentir. » Je capitule :

— Je suis habitué.

— Tu en as parlé à la direction depuis la dernière fois ? m'interroge ma mère.

La dernière fois que je me suis fait expulser et qu'on a eu une rencontre super humiliante ? C'était il y a un an... Elle est folle si elle pense que tout est rentré dans l'ordre ! La direction m'a fait sentir comme mon père le fait : comme si je l'avais cher-ché. Si je me plaignais de nouveau, peut-être que ça rendrait les gestes des gars qui m'écœurent un peu plus prudents, mais qu'est-ce que ça ferait pour leurs mots ? Rien du tout.

— C'était vraiment une mauvaise idée d'en parler à l'école, commente mon père. Tout ça est une mau-vaise idée.

Je le fixe, agacé. Je pense que j'ai encore de l'énergie à dépenser parce que je lance :

– Et une autre tape sur la gueule, merci beaucoup. Quand est-ce que tu vas comprendre que « tout ça » n'est pas une question de choix, mais de *besoin* ? Je n'ai pas d'amis à cette école-là, je suis la *joke*, tu le sais.

– Tu le savais avant de changer, Éloïse, faut assumer.

– Parce que c'est si simple de ne rien dire ? que je réplique. Tu sais quoi, ça vaut pas la peine que j'explique, hein ? T'écoutes rien.

– Éloi, lance ma mère sur un ton d'avertissement.

Je lève les yeux au ciel et tourne les talons. Je vais aller chercher la maudite pinte de lait. Je claque la porte derrière moi. J'en ai assez de me chicaner avec mon père.

Je reviens à la maison une heure plus tard. J'ai fait un détour pour me calmer. Et pour ne pas tomber sur les deux gars... J'ai racheté du lait et j'ai trouvé le sac de jujubes au pied des marches du petit dépanneur.

Annabelle arrive dans l'entrée avant n'importe qui d'autre.

– Tu peux apporter ça à maman ?

228

Elle attrape le sac que je lui tends. Elle chancelle sous le poids, mais elle va se rendre à la cuisine. Je crois. Ma mère est assise à la table avec mon père. Ils font les comptes. Ou jouent avec une calculatrice.

– Tu veux que moi, j'appelle ? me demande-t-elle d'emblée en se levant pour aider Annabelle avec la porte du réfrigérateur. À l'école, je veux dire ?

Je regarde ma sœur. Sa petite robe avec des pommes dessus ; celle qu'elle pleure pour ne pas enlever le soir, le diadème sur sa tête. Je la vois souvent, avec sa baguette magique, repousser du pied tous les camions qu'elle voit... Elle grimpe partout, veut voler. Mais pas pour se sauver du monde, parce qu'elle veut être une fée. On est tellement différents, elle et moi. Mes parents ont enfin leur fille, je crois bien. Je sais que ma mère a fait un peu la paix à cause d'Annabelle. J'aurais aimé que mon père en fasse autant.

Lentement, incertain, je prends place en face de mon père. Je n'ai pas envie de me faire dire que je suis faible, que je me trompe. Je sais que j'ai raison, malgré tout. Malgré la peine et les insultes, j'ai raison. J'ai besoin qu'il comprenne ça, même s'il ne peut l'accepter. Ma mère fronce les sourcils en s'asseyant. Elle doit sentir que c'est important.

– Je voudrais juste... repartir à zéro. Changer d'école. Pas parce que je veux me rebeller ou quoi que ce soit, que j'ajoute avant que mon père n'ouvre la bouche. C'est *rushant* là-bas. Je parle à personne, mais je finis toujours par me faire rentrer dans les casiers ou me faire insulter. C'est pas normal que j'arrive pas à aller aux toilettes, qu'on me crache dessus... Je l'ai cherché, je sais, mais... C'est fait maintenant, c'est trop tard. Reste que c'est pas normal que...

Je m'arrête, j'avale ma salive. Je n'ai tellement pas envie de parler de ça...

— L'autre fois, on m'a déshabillé et je...

— Pardon ? m'interrompt ma mère.

— C'est pas important, c'est juste...

— Pas important ?

Son regard passe de moi à mon père. Panique enclenchée.

— Ils ne m'ont pas touché, que je murmure. Pas beaucoup en tout cas. C'était le même gars que tout à l'heure et je... J'ai pas le goût qu'il s'essaie encore. En plus, cette année, je vais beaucoup changer, ils ne sauront plus où me mettre à l'école ; je ne serai plus avec les filles, c'est sûr, mais avec les gars ? Si je vais ailleurs, ils ne sauront pas que je suis trans. Je veux me concentrer sur l'école et, au collège, j'ai...

Je hausse les épaules. Je ne veux pas me plaindre ; j'ai failli dire que j'avais peur.

Ma sœur est restée tranquille durant toute la conversation, les yeux sérieux, comme si elle comprenait. Je sais bien qu'elle n'a rien saisi, mais peut-être qu'elle attendait qu'on se chicane, comme d'habitude.

Un jour, elle va savoir. Que je suis un frère-sœur. Je me demande ce qu'elle dira... Elle me tire le petit doigt.

– Viens jouer, Loi ! Moi, je suis la maman !

Je n'entends pas le reste, elle est dans l'escalier, sûrement partie chercher ses poupées à gros yeux que je trouve si étranges... Mais tout est bon pour m'éloigner de la cuisine...

Alors que je monte les marches, j'entends mon père grommeler :

– Me regarde pas comme ça, moi aussi ça m'inquiète.

Durant le souper, mon frère ne cesse de poser des questions. J'ai vraiment un bleu sur la mâchoire. Dom va dire que j'ai *frenché* Picasso ; je le connais.

– Tu as le choix entre deux écoles, dit mon père tout à coup.

Il a les yeux sur son poulet. Je voudrais tellement qu'il me regarde !

– Tu changes d'école ? s'étonne Joël.

– J'aimerais aller à l'école près du parc Poly-aréna.

Mon père hoche la tête et ma mère pousse un soupir de soulagement. Immense ; je le sens sur mon visage alors que je suis de l'autre côté de la table. Elle se lève, m'attrape par les épaules et me serre. Fort, comme si elle me revoyait après des années d'absence. Mon instinct me donne envie de la repousser, mais je résiste ; il y a des mois qu'elle ne m'a pas embrassé comme ça.

– OK, conclut Joël. Qu'est-ce que j'ai manqué ?

Je suis vraiment soulagé. Repartir à zéro, *clean slate*, comme on dit. J'ai appelé Pascal au Michigan et il était super content. On a souvent parlé de mon envie de changer d'école et je lui assurais que c'était correct s'il ne voulait pas que j'aille à la sienne ; il y a une autre école secondaire pas très loin. Certains de ses amis ne sont pas au courant pour moi et je ne veux pas le mettre mal à l'aise.

– Si tu vas à l'autre école, je te suis, qu'il affirme.

– Le *skatepark* est juste à côté, c'est clair que je veux aller à ton école.

– Répète ça, m'ordonne-t-il. Vas-y ! Je trouve que ta voix a un peu changé depuis la semaine passée.

Je le crois à moitié, mais bon... L'espoir fait vivre, non ?

16 ans 3 mois

L'école recommence demain matin et je suis à deux doigts de la crise de nerfs. De un, parce que ça fait quatre ans que j'ai un uniforme ! C'est le *free for all* en ce moment, je me sens ultra libre. Je sais, c'est stupide.

De deux, parce que... ben, je ne suis pas tout à fait le nouvel élève-type. Demain, je vais à l'école avec ma mère pour expliquer quelques trucs super personnels à des gens que je ne connais pas, juste pour être sûr que personne ne va m'appeler Éloïse en classe et qu'ils apprennent qui je suis réellement. Je voudrais légalement faire changer mon nom pour Éloi, mais ma mère refuse. S'il n'était pas écrit Éloïse sur tous mes papiers, rien de tout ça ne serait nécessaire. Je me suis encore engueulé avec elle hier, à cause de ça... Plus je me masculinise, moins ç'a de sens d'avoir le prénom Éloïse sur mes maudites cartes ! Rien à faire, mes parents sont bouchés.

Je suis Éloi. Éloïse est juste une toute petite partie de moi, elle n'est plus au premier plan. Je ne veux plus être gêné dès qu'on me demande une pièce d'identité. Je ne veux plus me croiser les doigts en espérant qu'on remarque juste ma photo et non mon prénom, ni le petit F qui annonce mon sexe biologique. Et qui dit à tout le monde, même le plus étranger des étrangers, que je suis transsexuel.

En même temps, avec un nom comme Éloïse sur mes cartes et une apparence comme celle d'un Éloi, c'est comme si je leur donnais *le droit* de demander... de s'exclamer à voix haute, avec les yeux qui se promènent de mon nom à mon visage :

– Oh, mais t'es une fille ?

– C'est spécial, hein ?

– C'est la première fois que je vois ça.

Ils me font sentir comme une chose étrange, le genre de truc que tu touches avec ton doigt pour t'assurer que c'est vivant. Ma génétique est partout. Chaque fois que je vais louer un film, chaque fois que je passe à la bibliothèque, à la pharmacie, que je paie quelque part. C'est comme si je me déshabillais devant eux et qu'ils voyaient que j'ai des seins, que rien de vrai ne remplit mon pantalon. Je veux juste qu'on m'oublie et c'est pour ça qu'il *faut* que je fasse changer mon nom. Mais quand t'es mineur, ce n'est pas toi qui décides... Maman et papa ont le gros bout du bâton. Je me suis dit, il y a trois ans, que ce ne serait pas si dur de les faire plier, qu'ils avaient déjà accepté pour les bloqueurs alors...

Rien à faire.

Aussi solides que la muraille de Chine, mes parents. Ils m'ont bien fait comprendre que je changerais de prénom quand j'aurais dix-huit ans, pas avant. J'ai attendu un peu, j'en ai reparlé. Bloqués, constipés. Depuis que j'ai commencé la testostérone, je sens l'urgence. Un jour, on va refuser de me soigner parce que ma carte d'identité dit que je suis une fille, et que j'ai l'air d'un gars. Et si j'obtiens mon permis et que je me fais arrêter ? Ou si je veux avoir un passeport ? Il y a plein de choses qui peuvent mal tourner si mon nom n'est pas changé, et vite. J'aurais beaucoup moins de choses à expliquer à la direction de l'école si Éloi Gallagher était écrit dans mon dossier. Ils s'attendent à voir une fille, demain... Éloïse.

– Je vais tout changer dans le système, confirme le directeur, avec un regard sérieux. Mais il restera une note au dossier pour le ministère de l'Éducation.

Ma mère me touche l'épaule. Elle doit sentir que je suis à deux doigts d'imploser. J'ai l'impression de trembler de l'intérieur, tellement j'ai peur. Si je parle, les mots vont sortir en anagrammes, tout mélangés.

– Nous avons un psychologue qui vient une fois par mois, m'indique le directeur. Si tu veux parler.

Je fais oui de la tête, même si c'est non. J'ai déjà une psy...

– Il y a des toilettes pour les personnes à mobilité réduite près des gymnases. Pour te changer.

– Je ne peux pas aller dans le vestiaire des garçons ? que je demande, déçu.

Il hésite un moment.

– Je croyais que tu serais peut-être mal à l'aise... Il y a des cabines fermées dans le vestiaire, si ça te convient. Je vais demander à ton professeur d'éducation physique d'être plus vigilant. Juste au cas.

Juste au cas. Au cas où cette école aurait son propre Pas-de-couilles et que je me ferais démasquer. Je vais essayer de passer incognito, mais je ne sais vraiment pas si je vais réussir. Mon corps est celui d'une fille après tout, même si, avec le temps, la testostérone m'aide. J'espère seulement qu'elle m'a aidé assez pour le moment.

Sur l'heure du dîner, Pascal me rejoint à l'entrée de la cafétéria.

– Et puis ? Survécu ?

J'expire, incertain. Toute la matinée, je n'ai pas prononcé un mot, au cas où ma voix laisserait planer un doute. Je me suis assis avec les jambes encore plus écartées, j'ai marché comme un vrai *douchebag*, avec les épaules en arrière. Tout pour être le moins féminin possible.

C'est le premier jour, tout le monde se mesure du regard, je le sais. Mais je n'ai pas envie qu'on me regarde. Je ne veux pas d'autres amis, je n'ai pas envie que quiconque s'approche.

— Stressé, hein ? remarque Pascal en souriant. Viens...

Incapable de réprimer mon sourire, je prends place entre ses bras tendus. Deux secondes. Il pourrait sûrement serrer plus longtemps, mais il doit détester quand je deviens tout crispé. Pascal glisse ses mains dans ses poches. Je remarque que des élèves nous regardent. Parce qu'ils ne savent pas si je suis une fille ou un gars ? Ou parce que... parce que deux gars viennent de se serrer ? Je ne sais pas et c'est stressant.

— Respire, dit encore Pascal. Viens, j'ai faim.

Il me présente à son petit groupe d'amis. Il y a Mikaëlle, sa blonde et Jean-Sébastien que je connais déjà et qui savent que je suis transsexuel. Puis Darius et Xin. Eux, ils ne le savent pas. Et pas question que j'en parle.

Quand je repense à ce qui s'est passé avec Carolanne quand je le lui ai dit, j'ai vraiment peur du moment où ils vont l'apprendre. Parce que ça va arriver, c'est sûr. On ne vit pas en Utopia, hein ? ; ils vont finir par savoir que je suis différent, et j'en suis encore à décider si le plus tôt sera le mieux ou si je garde ça pour moi le plus longtemps possible. Pour avoir des amis le plus longtemps possible...

D'un côté, j'ai envie d'être honnête. Dire que je suis transsexuel pour que l'on passe à autre chose.

Mais, d'un autre côté, est-ce qu'on pourra passer à autre chose après ça ? Je n'en suis pas sûr. Plus il y a de gens dans le secret, plus j'ai de chance d'être rejeté. *Out*. Je n'ai vraiment pas envie que toute l'école le sache.

Je respire. Deux semaines d'école et je respire. L'attrait des premiers jours s'est évaporé, on regarde moins les autres. On me regarde moins. Depuis une semaine, ma voix a beaucoup changé. J'ai perdu plusieurs octaves du jour au lendemain, elle est très bien maintenant. Douce musique.

À l'école, personne ne se doute, je crois. La seule blague que j'entends sur mon compte, c'est à propos de mon nom de famille, à cause du joueur de hockey, Brendan Gallagher. On me demande de lui dire de bien jouer cette saison, sinon on va nous échanger tous les deux. Je trouve ça drôle.

Dans les vestiaires, je fais ça vite. J'ai un cours de gym avec Pascal. Il se change dans les toilettes avec moi, je ne suis pas tout seul à passer pour un prude. Avec la testostérone, mon niveau d'endurance a beaucoup augmenté, ma force musculaire aussi. Je peux courir aussi longtemps que les autres gars, faire presque autant de *push-up* que les autres. Je me sens bien. À ma place.

On a joué au basketball hier et, même si je ne suis pas le plus grand et certainement pas le plus en forme, on m'a pris tout de suite dans l'équipe.

On m'a intégré à coup de tapes dans le dos et de sourires de connivence. Comment on dit déjà ? *One of the guys* ? C'est comme ça que je me sens.

Je n'ai plus aussi peur dans les corridors, je ne prépare pas des répliques cinglantes dans ma tête, en attendant une insulte. Parfois, j'oublie même que je suis différent.

– Tu vas rire, me dit Pascal un matin, en se glissant sur la chaise à côté de la mienne. Ou peut-être pas, je sais pas.

Il se penche vers moi. Nous sommes dans le local de maths, le seul autre cours que nous avons en commun.

– Mik m'a raconté que, dans leur cours d'anglais, les filles parlaient des gars qu'elles trouvaient *cutes*.

Je suis tout ouïe. Pas que je connaisse les amies de Mikaëlle, pas que j'en désire aucune, c'est clair, mais bon, elles parlaient de gars et ça semble me concerner.

– Et puis ?

– Ton nom est sorti.

– Pour vrai ? Qu'est-ce qu'elles ont dit ?

– Que t'étais beau. Et super fin. Que tu ferais un bon *chum*.

Je crois que je rougis parce que Pascal fait un bruit ressemblant à « aww » et je lui ordonne de la fermer en riant.

— Il s'est dit autre chose et c'est là que je sais pas si tu vas aimer.

Je perds mon sourire. Est-ce que les filles ont des doutes que je suis un peu comme elles ?

— Une fille a dit que t'étais sûrement trop beau pour être vrai. Que t'avais l'air trop doux, trop tranquille.

— Ça veut dire quoi, ça ?

— Gay, Éloi. Les filles veulent dire « gay » dans ce temps-là.

— Oh.

Pascal me regarde, incertain, mais je vois bien qu'il a envie de rire. Je parle pas le langage fille, moi, j'avais pas compris que « trop doux » voulait dire « gay » ! Je me passe la main dans les cheveux avant de hausser les épaules :

— Ben, coudonc.

Qu'est-ce que je pourrais dire de plus ? J'ai tendance à penser que, dès que quelqu'un me regarde de travers, il *sait* que je suis trans. Mais ce n'est pas comme ça que ça marche, il faut que je relaxe. Et puis gay... c'est ça que je suis après tout. Même s'il n'y a que Pascal et sa blonde qui sont au courant.

Dans mon autre école, les gens me traitaient de lesbienne non assumée, de *butch*, en pensant que ma transsexualité était une excuse. Ici, personne ne sait que je suis né fille et certains pensent que je suis gay. Revirement de situation total. C'est vraiment ironique. Honnêtement, je m'en fous si, un jour, on me catalogue comme « le gay ». Il a fallu que je me batte pour tellement de choses, la question de mon orientation sexuelle ne m'énerve pas du tout. Bon, c'est un mensonge. Surtout quand je me demande qui va bien vouloir de moi, comme ça... avec des morceaux manquants et des morceaux en trop.

J'ai retrouvé l'intimité que j'avais perdue avec Pascal depuis le début du secondaire. Moi qui avais peur de le perdre... On s'est beaucoup rapprochés.

– Un jour, ils vont savoir que je suis trans, que je dis un soir, alors que nous marchons pour nous rendre chez moi après l'école. Ça va recommencer comme avant...

– Pourquoi ça arriverait ? Ça fait un mois et tout va bien, non ?

– Un *feeling*, je sais pas.

– Éloi... oublie les scénarios catastrophe.

– C'est pas aussi simple, oublier... Et puis, on n'est pas si loin du collège, c'est la ville d'à côté... Ils vont savoir. J'ai toujours l'impression que ça arrive et puis... rien. C'est *rushant*.

Pascal me serre le bras. Il a l'air triste et pourtant il n'est pas au courant de la moitié de ce qui m'est arrivé au collège. Il arrête de marcher et je me tourne vers lui, glisse mon *skate* dans mon dos, sous les courroies de mon sac d'école.

– Je vais être là pour que ce genre de trucs n'arrive pas, me dit-il.

– J'ai pas besoin qu'on me protège, franchement !

– Oh, hé, Hulk, lance Pascal. Relaxe. T'es plus fort que moi, avec ou sans testostérone. Je me suis jamais battu de ma vie, contrairement à toi ; tu n'as pas besoin de mon aide pour te défendre, je le sais... Je veux juste dire que t'es pas tout seul cette année. Il y a Mik et moi, non ? On est de ton bord, OK ? Tu pourrais en parler lentement. Aux autres à la table, genre Darius et Xin. Pour qu'on soit en groupe si jamais... T'es pas tout seul.

Si jamais... Je suis à moitié convaincu que leur présence pourrait freiner des imbéciles comme Pas-de-couilles. Il a un peu raison par contre : cette année, je ne suis pas tout seul. Je soupire.

– Je suis juste tellement tanné d'avoir peur de quelque chose...

– Et moi, ça m'énerve que t'aies raison d'avoir peur. Les gens veulent toujours tout savoir sur l'identité d'une personne ; ça ne devrait pas être comme ça... Qui tu aimes, ce que tu as dans tes pantalons, c'est personnel.

On arrive devant ma maison et je pointe un doigt vers Pascal.

— Ne dis pas ça à mon père, il va t'interdire de revenir chez nous.

— Voilà un bon exemple. Si les catégories homme-femme étaient pas si... si sacrées, il aurait sûrement bien moins de misère à se faire à l'idée que t'es spécial. Tu pourrais être entre-deux et ce serait pas si déstabilisant. Faut que ça arrête, tout ça...

— Tu vas t'inscrire en socio à l'université, hein ? que je lui demande. Ou en enseignement, en droit, en philo ou je sais pas...

— Pourquoi ?

Je hausse les épaules, et j'ouvre la porte d'entrée.

— T'es le genre de gars qui pourrait changer le monde, tu le sais, ça ?

Alors que je me regarde dans le miroir et que je remarque, avec joie, que mes joues sont plus creuses et que ma ligne de cheveux a un peu reculé, je me sens soulagé. Je connais trop mes traits pour mesurer toute la différence, mais je commence à me trouver beau. Masculin. Est-ce que c'est de ça qu'avait l'air la personne qui criait en dedans, avant que je l'écoute ?

J'approche mon visage du miroir. Je pouvais supporter des poils ici et là, mais ça commence à être un peu trop disparate à mon goût. Sur le haut de la lèvre, ce n'est plus du petit duvet, c'est foncé. J'ai plus de poils à droite qu'à gauche. Comme sur mes jambes. Mes poils ont commencé à monter. Au-dessus des genoux et sur les cuisses. Plus à droite qu'à gauche. J'ai de la barbe sous le menton, juste un peu. Des favoris, mais rien de complet, ce sont que quelques poils ici et là... Il faudrait que je me rase.

J'ai une pression dans la poitrine. Je ne me suis jamais rasé de ma vie, pas même les jambes. Je fais comment ? Et puis, jamais, au grand jamais je pourrai demander à mon père de me guider. Au moins, j'ai Joël.

Il fait ses travaux, assis sur son lit.

– J'ai besoin de ton aide.

– Pour faire quoi ?

– Me raser... Tu veux me montrer ?

Son regard semi-attentif devient super concentré. Dans la salle de bain, il passe son propre rasoir sous l'eau, me met de la crème sur le visage.

– Pas trop épais, sinon ça va coller et mal raser.

Il tient le rasoir à l'envers dans son cou et le remonte jusque sous son menton.

– Je commence toujours comme ça, mais tu fais ce que tu veux. De haut en bas. Une *shot* ou deux et tu rinces. Ça sert à rien d'aller vite.

Je mime. Ça fait tellement bizarre... Je n'ose pas peser trop, j'ai tellement souvent vu mon père avec des petits bouts de papier sur le visage, le matin...

Il me reste juste une petite ligne à faire quand je vois Joël essuyer son œil gauche et l'entends renifler.

— Qu'est-ce que t'as ?

— Je sais pas, dit-il. J'ai beau t'appeler Éloi depuis trois ans... T'es vraiment pas ma sœur, hein ?... Allez, rince-toi le visage. Tu peux mettre ta crème pour les boutons, faut que tu hydrates ta peau.

Nos regards se croisent dans le miroir quand je me redresse, le visage propre. Je vois, pour la première fois, une vraie ressemblance avec Joël. Comme si j'avais un reflet devant moi et à mes côtés tout à la fois. Il me sourit un peu et sort. Je m'en veux de lui faire de la peine, mais... je pense que le déclic vient de se faire dans sa tête : j'ai toujours été un gars, même la première fois qu'il m'a pris à l'hôpital, emmitouflé dans une couverture rose, quand j'avais peine à ouvrir les yeux et qu'on ne m'avait même pas encore lavé.

16 ans 5 mois

École, travail, testo... Pas nécessairement dans cet ordre. Il y a des changements qui ralentissent. Ma voix a l'air d'avoir trouvé un équilibre : pas trop grave, mais bien assez. D'autres qui semblent s'accélérer. J'ai dû modifier mon entraînement au gym. Complètement. J'ai beaucoup plus d'énergie, de force physique et d'endurance. Le doc dit que la prise de bloqueurs suivie de la prise d'hormones a donné un choc à mon système. Mes hanches sont plus droites, je trouve, mes épaules, un peu plus larges. J'ai grandi d'un pouce et demi. Je me trouve beau pour la première fois de ma vie. Si je n'étais pas si paranoïaque, je pense que j'aurais envie qu'on me regarde.

Même si je suis un peu plus en paix, ce n'est pas fini. Il me reste des *coming out* à faire, des acceptations à quémander, je dois mûrir parce que, en ce moment, j'ai encore trop mal et je suis autant jaloux des autres gars qu'avant. J'en veux toujours à la nature. Même si les gens me perçoivent finalement comme un garçon, j'ai aussi cette douleur qui vibre... je ne sais pas comment l'appeler. J'espère que le temps la fera disparaître.

Plus les mois passent et plus je me sens coupable envers mes amis. Je ne mens pas vraiment... Enfin oui, par omission. Et ça me fait beaucoup de peine de mentir à des gens super gentils. Bien sûr, ce n'est pas de leurs affaires, mais... quand tu fais confiance à quelqu'un, ton identité compte. Et puis, je ne suis pas à moitié trans. J'étais chez l'endocrinologue tout à l'heure pour recevoir des résultats de prises de sang et ça m'a fait réfléchir. Quel gars de mon âge se fait mesurer le tour de poitrine ? Quel gars parle de se faire enlever l'utérus avec son docteur ? Je suis totalement moi, je ne peux pas le cacher sans me sentir malhonnête.

Je ne pense pas que tout le monde va m'en vouloir ou me détester ; ce n'est plus comme avec Carolanne. On est plus vieux, plus... je ne sais pas... évolués ? Matures ? Je ne « transitionne » pas, j'ai déjà « transitionné ». Je ne suis pas comme mes amis, je ne le serai jamais et j'ai le sentiment que je *dois* le leur dire. Je suis prêt à me confier à quelques personnes. Suffit de trouver le bon moment. Toutefois, je n'ai pas envie de redevenir « le gars avec un vagin » comme au collège.

Nous sommes tous chez Mikaëlle, on se fait un marathon de Halo, sur trois télés différentes dans la maison. Je suis le partenaire de Darius et Xin. J'hésite un moment. Je n'ai pas le goût de faire une grosse déclaration, je veux que ça ait l'air de rien. Rien, rien, rien, calme plat...

Durant une partie, j'annonce :

– Est-ce que vous saviez que je suis né fille ? Je suis en train de faire une transition de fille à gars.

Il y a un silence. Je sens deux paires d'yeux sur moi. À l'écran, Xin se fait descendre.

– *Dude*, t'as même pas essayé de te défendre, que je dis d'une voix tremblante.

Du deuxième étage, on entend Pascal crier qu'il doit trouver le *tank*, au plus vite.

– T'as vraiment un drôle d'humour, commente Xin.

Là, dans les films, le personnage principal a le choix : se la fermer ou continuer la conversation. Il va voir sa vie défiler en trois secondes pour chaque choix avant de prendre une décision. Je ne vois rien et je dois choisir tout seul. Je presse le bouton « pause » et, du sous-sol et du second étage, un grognement généralisé retentit. Je soupire :

– C'est pas une blague. Ça fait longtemps que je veux vous en parler, mais j'osais pas.

– Arrête, lance Darius, t'es pas une fille.

– Non, je suis pas une fille. Pas dans ma tête, mais mon corps... Vous trouvez pas ça étrange que j'aie pas mal changé entre le début de l'année et maintenant ? Que vous m'ayez jamais vu *topless* ?

Je tourne ma manette entre mes doigts, incapable de lever les yeux vers les deux autres. On n'est pas extrêmement proches, mais ils comptent pour moi et je n'ai pas envie de voir leurs réactions là, maintenant... Est-ce que je suis maintenant assez fort pour un rejet ?

– Ben..., commence Darius, il y a des gens qui sont en retard côté puberté... Ma sœur a pas eu de seins avant, genre, ses dix-huit ans.

– La chanceuse, que je marmonne. En fait, je prends des hormones depuis juin passé... Il va falloir que je... que je me fasse opérer pour que mon corps soit... moins gênant.

– T'es vraiment sérieux ? me demande Xin alors qu'on entend du mouvement dans l'escalier.

– Plus que sérieux. Je voulais juste être honnête avec vous parce que... mon corps est pas comme le vôtre et je... J'avais besoin de le dire.

– Alors t'as pas de... tu sais...

Je réponds à Xin, incapable de ne pas sourire devant son air embarrassé.

– Non, j'ai pas de... Mais je peux te botter le cul pareil à Halo.

– Fendant...

– Le mot que tu cherches, c'est « talentueux ».

Darius se met à rire alors que la tête de Pascal s'encadre dans l'entrée du salon.

– Qu'est-ce que vous faites, bande de mémères ?

– On parle de transsexualité, que je dis, pas trop fort.

– Oh. OK.

Son visage disparaît pour revenir trois secondes plus tard. Il me demande :

– Ça va, Éloi ?

– Super.

– OK.

Il me sourit avant de remonter les marches. Mal à l'aise, je me tourne vers les deux autres.

– Vous allez pas le dire à d'autres, hein ?

– Non, non, m'assure Darius. Mais... Alors, c'est ça ? T'es transsexuel ? C'est bizarre... Ben, pas toi, c'est que...

– Relaxe, j'ai compris, que je le rassure. C'est bizarre, je suis d'accord. J'ai juste pas le bon corps. Ma tête, elle est gars, mais le reste... le reste ressemblait à une fille avant.

– Plus maintenant, c'est sûr, affirme Xin.

Ça me fait vraiment plaisir qu'il dise ça.

– Donc, t'as une tête de gars, un corps de fille...

– Et c'est la tête qui gagne, que j'ajoute.

– Aussi simple que ça ? me demande Darius.

– Aussi simple.

Ça clôt la conversation et on recommence à jouer. Je n'arrête pas de perdre, mais ce n'est pas grave. Quelque part, je viens de gagner gros.

Depuis, Darius et Xin sont presque les mêmes qu'avant. Ils n'en parlent pas et moi non plus, mais, au moins, ils *savent*. Je sais qu'ils sont mal à l'aise, Pascal me l'a avoué. Darius est allé le voir pour lui poser quelques questions. C'est correct, Pascal a presque tout vécu avec moi et si Darius est plus à l'aise avec lui, pourquoi pas ?

J'en suis même à me demander s'ils ont vraiment compris. S'ils savent que ça veut dire que j'ai un... un vagin. En fait, c'est sûrement moi qui cherche des raisons pour qu'ils s'éloignent, advenant que ça se produise. Je devrais être confiant, pourtant : ma vie dans cette école, avec eux tous, est tellement diffé-rente, tellement plus saine. Peu souvent, cette année, j'ai eu envie d'abandonner l'école alors que, avant, j'avais cette pensée tous les deux jours au mieux. Xin et Darius sont en train de m'enseigner une leçon, je le vois bien : je dois faire confiance aux gens. Je croyais fermement que Dom était un cas à part, mais, au fond, il y a des gens avec une grande ouverture d'esprit... Je me suis torturé pendant des mois pour rien du tout.

– Loin de moi l'idée de partir une guéguerre, lance mon frère un soir, mais quand est-ce que tu vas avoir une blonde, Éloi ? Ce serait *cool* de faire des trucs à quatre.

– Joël, franchement, soupire mon père.

– Franchement, quoi ? J'ai dit que je voulais pas faire de chicane, c'est juste une question. Je pense que, rendu où l'on en est, parler de ça devrait pas être un problème.

Joël me fait un clin d'œil de l'autre côté de la table. C'est mon soldat numéro un à la maison.

– Je pense qu'il y a assez de problèmes dans cette maison justement..., objecte mon père.

– Et mon orientation sexuelle serait trop catastrophique à discuter ?

– Éloi..., commence ma mère.

Annabelle est assise dans son siège d'appoint près de ma mère et est en train de transformer son pâté au saumon et ses légumes en un mélange non identifiable. Mon père m'envoie un regard sévère.

– Éloïse, ne joue pas les ados offensés. Tu ne penses pas que tu en as assez fait ?

Je dépose ma fourchette, le fixe dans les yeux. Des fois, je le déteste vraiment... J'entends ma mère soupirer.

– Personne ici n'a rien contre l'homosexualité, pas vrai ? dit-elle, dans une tentative pour clore la discussion.

– Logiquement, si Éloi sort avec une fille, ça fait de lui un hétéro comme moi, précise mon frère.

– Peut-être dans votre monde d'illusions, lance mon père.

Il m'enrage ! Pourquoi fait-il toujours ça ? Me faire sentir stupide et... et malade mental ! Il ne devrait pas me rassurer, me dire que ça va aller ? Il ne sait pas à quel point c'est un sujet sensible pour moi, tout ça... Incapable de me retenir, je m'emporte :

– Oh, c'est vrai ! Mon monde n'existe que pour lancer de la poudre de maladie mentale sur le tien.

– Éloi !

Mon frère retient un sourire alors que ma mère se lance dans un discours sur le respect. Et mon père, lui ? C'est si dur d'arrêter de me traiter en débile profond ? Je hausse les épaules.

– De toute façon, les filles, j'aime pas ça. Alors, Jo, si tu veux qu'on sorte à quatre, va falloir que tu te fasses à l'idée que ça va être avec moi et un autre gars. M'man, si t'as rien contre l'homosexualité, c'est bien tant mieux. Sinon, tu peux faire comme papa qui, au lieu de m'accepter en tant que gars gay, va juste prétendre ne rien comprendre et dire que je suis une fille hétéro qui cherche de l'attention.

Sur ces paroles dignes de Will Hunting (quand Matt Damon lance une tirade à Robin Williams pour le faire taire, ça vaut cher !), je me lève. J'ai un cours de hip hop ce soir, autant partir tout de suite. Sinon je vais crier.

En refermant la porte derrière moi, je me rends compte que j'ai les mains qui tremblent. Je l'ai dit à ma famille. Un autre *coming out*, un autre et un autre... Pourquoi la culpabilité vient-elle toujours avec les aveux ? Ce n'est pas censé être libérateur ? C'est ce qui se dit sur Internet en tout cas : qu'avec la déclaration vient le soulagement. Parfois, c'est vrai, mais souvent, comme maintenant, je me sens mal. Coupable d'avoir menti, de déstabiliser les autres. J'aime les gars, contrairement à beaucoup de FTM, qu'est-ce que j'y peux ? Rien du tout, alors je ferais mieux de m'assumer jusqu'au bout. Plus facile à dire qu'à faire. Je voudrais tellement être normal, plate, morne, à mourir d'ennui. Ce doit être ça qu'on appelle souhaiter l'impossible.

16 ans 7 mois

L'école débute dans trois jours, sous la neige de janvier. Enfin ! On n'a même pas eu de Noël blanc ! Une nouvelle année vient de commencer, j'espère vraiment que les choses vont continuer à s'arranger. Sept mois de testostérone, une petite gang d'amis, un corps qui me fait franchement plaisir et des résultats scolaires qui font taire mes parents. C'est plus que ce que j'avais espéré, l'an passé. Tout ce qui me manque, c'est quelqu'un avec qui partager tout ça. Pas comme Dom ou Pascal, quelqu'un qui... Peu importe.

– *My God*, t'es dans la lune pas rien qu'un peu, hein ?

J'entends un rire, me retourne. Dominic est derrière moi, les mains sur les hanches. On est dans le studio, on termine nos chorégraphies pour la session.

– Je t'ai raconté l'histoire de ma grand-tante Gertrude et t'as pas réagi.

– T'as pas de tante Gertrude..., que je rétorque, perdu.

– Justement. Et tu disais rien...

– Rappelle-moi donc pourquoi je te trouve drôle des fois ?

J'évite la poussée que Dominic essaie de me donner.

– À quoi tu pensais ?

– À rien.

Il hausse un sourcil, mais n'insiste pas. Je regarde l'horloge, presque onze heures. Je dois rejoindre Pascal et les autres bientôt, pour dîner au resto.

Dans le miroir, je vois Dom retirer son chandail. Je suis encore jaloux, ça ne change pas. Jaloux de la facilité avec laquelle il a enlevé son chandail, juste comme ça... Je ne peux pas me baigner avec les autres ; je ne peux pas être torse nu quand j'ai trop chaud ; je ne peux pas prendre de douche après un entraînement. Mon sentiment doit être visible sur mon visage parce que Dom s'approche et pose ses mains sur mes épaules.

– Enlève-le, ton chandail. On est tout seuls.

Il est plus grand que moi, sa tête est proche de la mienne, son sourire est encourageant dans le miroir. Il n'est pas question que je me montre en *binder*. Même si, avec la testostérone, mon tour de poitrine a diminué, même si, à la base, je n'avais pas beaucoup de seins, même si, c'est vrai, personne d'autre ne verra, même si Dom a déjà vu ma poitrine... Pour lui, ce n'est rien, mais pour moi... être sans chandail, c'est difficile. Je ne fais que penser à cette fois, près des casiers, et mon cœur se met à battre trop vite.

Qu'est-ce que je ferais avec un *chum* ? Même si l'envie d'être avec quelqu'un est de plus en plus forte, ça ne sert à rien d'y penser. Il ne pourrait même pas me toucher sans que je panique !

– Allez..., chuchote Dominic.

OK. OK. Rapidement, je le retire. Satisfait ?

Les yeux de Dom me détaillent et deviennent tellement admiratifs pendant une seconde que j'oublie que je suis quasi torse nu. C'est une récompense pour mon effort.

– T'as une *V-shape*, note-t-il.

– Regarde, que je dis en pointant mon nombril.

Dom s'exclame :

– Oh, mon Dieu, Éloi, t'as vu ça ?

– Non, imbécile, je te montre mon ventre parce que t'as des beaux yeux.

Je voulais qu'il voie ma *happy trail*. Je sais, je sais, je m'énerve pour pas grand-chose, un peu de poils, c'est pas digne d'un reportage à Radio-Canada, mais... pour moi, ce l'est, j'avoue. Je suis passé de ti-cul à homme et j'aime ça. Cette *happy trail*-là, c'est un petit pas dans la bonne direction.

Dom se met à rire et tend les doigts avant de retirer sa main en secouant la tête.

— Je peux pas toucher, c'est trop *weird*.

Il pousse mon menton vers la droite avec son index. Je suis toujours rasé ou presque parce que les poils sont trop aléatoires... un peu sous le menton, un peu à droite, un peu à gauche... des trous partout. Au fond, c'est correct, mon frère est pas poilu, je vais pas me transformer en Chewbacca, c'est évident, il faut ajuster ses attentes.

— OK, c'est con, je suis tout énervé, dit Dom en levant les yeux au ciel.

— Au moins, c'est une preuve que ça marche.

— Une preuve que ça marche ?

Je hausse les épaules devant l'air surpris de Dominic. Ben quoi ? Il me touche les deux bras pour me placer devant les miroirs du studio. Ils sont à deux mètres de distance seulement et Dom fait un grand geste pour me montrer mon reflet.

— Regarde-toi trente secondes. Entre maintenant et l'été passé, c'est malade, la différence.

Je ne suis pas *fan* des miroirs, c'est connu, encore moins quand ils font dix mètres de largeur. Je croise les bras sur ma poitrine.

– Plus personne..., continue Dom avant de coller sa tête contre la mienne. Plus personne peut penser que t'es trans juste en te regardant, tu vois pas ? T'es un gars, regarde ton visage, regarde ta *shape*, tes cheveux. Je te trouve beau en maudit.

– Toi, t'es trop gay...

– Arrête, rétorque-t-il en riant. Je le vois que t'es beau et que t'as l'air mâle, je vais pas me gêner pour te le dire. Et toi, faut pas que tu te gênes pour me croire.

Au resto, je rejoins Pascal, Darius et Xin. Je me commande un hamburger et, quand l'assiette arrive, je saute dessus. J'avais trop faim ! Je suis tellement concentré que je n'entends pas la discussion qui fait rage et Xin doit passer sa main devant mes yeux pour me réveiller.

– Tu vas venir ? me demande-t-il.

– Où ça ?

– Chez moi, explique Darius. Gros party, vendredi prochain. Vous pourrez dormir à la maison.

J'hésite. J'évite comme la peste les situations comme celles-là. Pas que j'aie été invité souvent :

deux fois, dans le passé, ai-je eu l'occasion de dormir chez Pascal quand il avait des amis à la maison et j'ai toujours refusé. Il y aura plein de gens qui ne savent pas...

– Je suis pas sûr...

– Mais pourquoi ? s'informe la tablée dans un synchronisme terrifiant, digne des jumelles de *The Shining*.

– J'ai un empêchement.

Pascal me regarde. Il sait que je mens, c'est évident. Dès qu'on quitte le restaurant, il me retient par le coude et me fait ses yeux de professeur Lupin, des yeux du genre : « Je lis dans ta tête... »

– Je veux pas y aller, OK ?

– Pour une fois...

– Non, j'y vais pas, amuse-toi pour deux.

Je sais que je pourrais m'amuser... Je ne suis jamais allé à un party ! C'est clair que ça va être malade. Mais dormir là ?

Non. Je ne peux pas.

Le mercredi, c'est le soir où je donne mon cours de hip hop. Dom en donne un juste avant ; il reste toujours dans le bureau pour faire ses travaux scolaires et, après, on va au Tim Hortons. Il appelle ça notre *date*. Qu'est-ce qu'il dirait s'il savait que j'aime les gars pour de vrai ?...

Surprise ! Pascal se pointe quelques secondes avant que je ne ferme le studio à clé.

— Quand tu sais que tu as tort, tu oublies comment fonctionne toute technologie, dit-il. Tu n'as pas répondu à mes textos.

— J'essayais de montrer à des enfants de huit ans comment avoir du rythme...

— Hum !

— Chicane de couple ? demande Dominic en riant quand il voit Pascal hausser un sourcil et, moi, l'ignorer.

— On fait un party en fin de semaine, tout le monde va coucher là, et Éloi ne veut pas venir.

— Pourquoi pas ? Tu fais jamais rien.

S'ils se mettent à deux, je vais me fâcher. Bon, ce n'est jamais arrivé, mais il faut une première fois à tout ! Je regarde à droite et à gauche avant de traverser la rue, sans les attendre.

— Donne-moi une bonne raison et je te laisse tranquille, dit Dominic alors qu'on prend tous les trois place à une table du Tim Hortons.

– Tu seras pas là, que je lance. Je peux pas vivre sans toi, si t'es pas là, je peux pas y aller. Le manque va être trop grand...

– T'es con, commente Pascal avec un sourire.

– Je vais y aller avec vous autres alors, propose Dom. Je peux, tu penses ?

– Pas mal sûr que oui, réplique l'autre traître en sortant son cellulaire. Je vais demander...

– C'est pas sérieux..., que je marmonne.

– Pourquoi pas ? s'enquiert Dom en souriant. Jazz a son examen de conduite dimanche, elle va passer son temps à étudier. Ma tante vient à la maison et je ne suis pas capable de sentir son chien. Les chihua-huas, ça me perturbe.

Je ne peux m'empêcher de rire et le sujet tombe dans l'oubli pendant trois minutes. Je suis sauf... ou peut-être pas. Pascal montre son cellulaire à Dom.

– Darius a dit : « Pas de problème. » Sérieusement, pourquoi tu irais pas, Éloi ?

– C'est l'hiver, personne va se baigner, t'es correct, ajoute Dom.

– J'ai pas le goût.

– T'as le goût, je l'ai vu sur ton visage quand Darius en a parlé.

– Et je le vois sur ton visage maintenant, renchérit Dominic. La solution est simple, viens !

– C'est jamais simple ! que je lance un peu trop fortement.

Quelques personnes autour de nous se retournent et je baisse la tête. Je ne veux pas en parler, on a déjà abordé ce sujet-là dans le passé. Ils pensent que je suis parano. Peut-être, mais c'est mieux que de se faire avoir. Je penche la tête vers eux.

– C'est pas simple et je peux pas... Darius a dit que les gars dormiraient dans le salon. Je peux pas dormir avec des gens qui savent pas que j'ai... que mon *chest* est pas comme le leur et je peux pas dormir avec un *binder* non plus. Et je peux pas me promener en boxer, ça paraît. Et ils vont boire et j'ai pas le droit, j'ai des prises de sang à passer lundi. Tout le monde va trouver ça *weird*... Et puis, si quelqu'un du collège est là, hein ? Je suis vraiment chanceux que personne ne le sache encore...

Il y a un silence. Je sais que les deux autres essaient de voir si mes arguments sont valables. Dom passe la main sur son crane rasé et secoue la tête.

– C'est pas juste que tu te prives d'avoir du plaisir parce que t'as peur.

– C'est pas juste qu'on m'ait mis la tête dans une poubelle en me criant que j'étais un déchet, mais c'est arrivé, que je réplique durement. C'est la vie, faut faire avec.

— Pardon ? lancent Dominic et Pascal en stéréo.

Moi et ma grande trappe... Je soupire.

— J'aime ça avoir un groupe d'amis, OK ? Si, pour le garder, il faut que je me prive d'une fin de semaine, ben, crime, je trouve pas que c'est un prix cher à payer. Oui, j'ai le goût d'y aller, mais c'est correct.

— Je pense quand même, reprend doucement Dom au bout d'un moment, que si quelqu'un mérite de se lâcher lousse, c'est toi.

— On va s'arranger, promet Pascal. Mikaëlle non plus, elle boit pas. Tu te coucheras près de moi, avec plein de chandails, je vais te rhabiller si jamais on voit quelque chose, quitte à ne pas dormir. C'est juste un party... S'il te plaît, Éloi, amuse-toi, t'as le droit, toi aussi...

Je n'ai pas encore décidé. J'ai l'impression que je vais dire oui. Et que je vais le regretter...

Je n'ai qu'à ne pas dormir là, pas vrai ? Ah, je sens que, rendu là, je ne pourrai pas dire non... Mais peut-être qu'il n'y aura pas beaucoup de monde...

Wow. Darius est tranquille à l'école, il ne parle pas à beaucoup d'élèves. Mais apparemment, ça ne compte pas quand on parle de partys... Lorsque Pascal et moi entrons dans la maison, il y a du monde partout. Salon, passage, escalier... Assis sur l'îlot de la cuisine, le comptoir. Je connais la plupart des gens de vue, mais certains me sont totalement inconnus. La panique me reprend. Et s'il y avait quelqu'un du collège ?

– Hé ! lance Darius en arrivant de l'étage. Je suis trop content que vous restiez pour la nuit, je vais avoir besoin d'aide pour le ménage demain !

– Exploitation ! lance Pascal.

J'essaie de rire, mais je suis trop tendu. J'aimerais bien dire qu'une bière va me détendre, mais... non. On m'a demandé de ne pas boire ; j'obéis.

Je marche vers la cour arrière. J'ai vu quelqu'un du collège. On s'est retrouvés face à face. Je ne le connais pas vraiment, on ne s'est jamais parlé, il ne m'a jamais insulté. Mon visage a changé, mais pas au point d'être méconnaissable et j'ai vu, dans ses yeux, le doute... L'hésitation. Est-ce qu'il m'a reconnu ? Je n'ai pas voulu le savoir.

Il n'y a personne dehors quand je referme la porte-fenêtre. J'enroule mes bras autour de mon torse. Il ne fait pas si froid... Je regarde les autres et je m'attends presque à ce qu'on me montre du doigt, qu'on rie, que l'information circule comme quoi, moi, je suis un *freak*. Je me demande vraiment si cette peur d'être découvert va partir un jour. Parfois, je me dis que, lorsque j'aurai passé un an, deux ans sous testostérone, on ne pourra plus savoir... Mais après ça, il y aura des chirurgies et des cicatrices. Il y aura toujours une marque de ma différence, que ce soit dans les souvenirs des gens qui m'ont connu avant ou sur mon propre corps.

Je pense que je vais marcher un peu. Il n'y a pas beaucoup de neige au sol. Pas trop longtemps, je ne veux pas être malade...

– Hé...

Je me retourne. Un gars s'approche, son manteau sur le dos. Je ne crois pas l'avoir vu dans aucun de mes cours, mais son visage me dit quelque chose... Julien, je crois. Oui, Julien. Pascal m'a parlé de lui. Parce qu'il est gay et l'a dit à d'autres.

– Éloi, c'est ça ? me demande-t-il.

Je hoche la tête, incertain et gêné. Je ne sais pas si je dois avoir peur qu'on me parle de transsexualité ou d'homosexualité. Qu'est-ce qu'il me veut ? Il me tend la main, se présente. C'est drôle, je n'avais jamais vraiment remarqué, mais il a de la gueule...

– Je sais qu'on s'est jamais parlé..., commence Julien. Mais bon... t'es gay, *right* ?

Je regarde à l'intérieur de la maison. Est-ce que Pascal ou Mik ont dit quelque chose ? Je sais que beaucoup s'en doutent. Beaucoup, beaucoup.

– T'allumes mon *gaydar*, c'est tout, précise Julien.

Est-ce que j'allume son *transdar* aussi ? Je vais garder cette question pour moi.

– Je suis... Je suis juste pas aussi *out* que toi, que je réponds, les bras croisés sur ma poitrine.

– Il y a une *couple* d'autres gars *out* à l'école. Des filles aussi.

– Ah oui ?

Julien hoche la tête avec un sourire. Ouais, il est pas mal... Je résiste à l'envie de rire de moi-même. Pas mal ? Comme si je pouvais avoir des standards...

– Tu as l'air gelé, me fait remarquer Julien.

– J'ai rien pris.

Il ricane, met son capuchon sur sa tête, camou-flant ses cheveux bruns.

– Gelé dans le sens de « t'as froid ».

Oh. Aptitudes sociales : zéro.

– Tu veux aller chercher ton manteau ? me demande Julien. Faire un tour ?

J'ai évité de croiser Dom ou Pascal ou Jean-Séb ou n'importe qui d'autre en allant chercher ma veste, et j'ai rejoint Julien devant la maison. Il est beaucoup plus grand que moi, a une ombre sur les joues et des épaules larges. Je pense que ma taille va toujours me complexer : un mètre soixante-dix pour un gars, ce sera toujours petit.

On marche le long de la rue de Darius, qui semble s'étendre sur des kilomètres. Le bruit de la musique s'éloigne lentement.

— C'est vraiment *random,* dit Julien, mais quand je t'ai vu dehors, j'ai pensé que ce serait le *fun* qu'on parle. T'as un *chum* ?

Moi ? Le *freak*, le débile, l'attardé, le malade mental, la fausse lesbienne ? C'est ce qui me passe par la tête. Ça m'apparaît absurde pendant une seconde. Jusqu'à ce que je me rappelle que mon corps est aussi beau qu'il peut l'être en ce moment, que j'ai une belle gueule quand même, que je ne ressemble plus à une Éloïse. Je fais non de la tête.

— Je suis bien tout seul, poursuit Julien. J'ai pas le goût de me casser la tête, mais... Je sais pas, t'as l'air *nice*.

Est-ce que c'est moi ou c'est une conversation super décousue et étrange ? Je ne suis pas sûr de comprendre ce qui se passe.

On atteint un petit parc et, sans parler, j'avance sur le gazon recouvert de neige. Il me suit en demandant :

— Il y a beaucoup de monde qui le sait, que t'es gay ?

— Deux ou trois personnes à l'école. Ma famille, même s'ils me croient pas.

– Comme si on pouvait faire des blagues sur le sujet.

– Ouais...

Je ne dis rien de plus. Il y a deux côtés à mon histoire ; je suis sûr que sa famille à lui ne s'est pas imaginé qu'il était lesbienne...

Finalement, on discute. Pour de vrai, et pas d'homosexualité. On parle un peu de l'école, des profs, du party. On n'a pas grand-chose en commun, mais bon... c'est plaisant.

Je suis appuyé sur le billot qui retient une partie d'un gros module de jeu et Julien me regarde. Il va faire un *move*, je le vois à son visage. Je fais quoi ? Seize ans et demi, zéro expérience, c'est presque triste. Quoi dire ? Quoi ne pas dire ?

– Je peux t'embrasser ? me demande-t-il finalement.

Il faudrait que je dise non. Ou au moins que je lui avoue que je suis trans, avant. C'est pas tellement de ses affaires, on ne se connaît pas. Mais si on s'embrasse... Est-ce que ça va aller plus loin ?

Je dis oui.

Avec un sourire, il s'approche et baisse la tête. Ses mains sont sur ma taille, les miennes, près de ses poches de manteau. Les yeux fermés, je sens ses lèvres sur les miennes. Elles sont chaudes, mais ses joues sont froides. Un peu rugueuses, aussi près de ma bouche.

J'oublie bien des choses pendant ces secondes où l'on s'embrasse. J'oublie qui je suis. C'est bon de se faire toucher comme ça, de se sentir un peu désiré. Nos lèvres bougent ensemble, ça picote entre mes jambes et mon cœur bat vite, mais pas de panique. Jusqu'au moment où ses mains glacées se faufilent sous mon manteau et touchent mon dos. Je recule contre le bois du module.

– Qu'est-ce qu'il y a ? me questionne-t-il, les sourcils froncés.

Je me suis souvent imaginé cet instant, le moment où quelqu'un allait s'intéresser à moi. Et je me suis demandé comment j'allais lui dire, avouer... Je ne serai pas capable de mentir par omission, je me connais. Je bafouille.

– Faut que je te dise un truc... mais c'est... c'est pas important au fond, mais... Ben, oui, c'est important...

Come on, un peu de contrôle... Julien glisse les mains dans ses poches, attend.

– J'ai pas de pénis.

Ç'a déboulé de ma bouche sans prévenir. Je sens mes joues virer au rouge, et pas à cause du froid... Pourquoi j'ai dit *ça* ?

– Je veux dire que je suis... J'ai des trucs de fille... en dessous.

Ça ne semble toujours pas clair pour Julien qui me fixe, incertain.

– Je suis trans. Transsexuel. Tu sais c'est quoi ?

Ma voix tremble, je l'entends qui chevrote dans ma gorge. J'aurais dû ne rien dire, prétendre que je suis comme lui, *juste* gay.

– J'aurais jamais cru que..., commence Julien.

Il recule d'un pas, se passe la langue sur les lèvres. Et là, je la vois. Dans ses yeux... cette espèce d'ombre qui passe, l'ombre qui veut dire « t'es débile ». Plein de gens l'avaient au collège. J'ai l'impression de manquer d'air pendant un moment. J'ai à peine touché Julien, et pourtant je viens de le repousser tellement fort... Je l'ai envoyé voler loin, très loin. Il me regarde et je souffle sur mes mains. Je suis pas mal certain qu'il essaie de voir comment il aurait pu deviner, comment il aurait pu savoir avant de m'embrasser.

– Les gens sont pas au courant ? s'étonne-t-il. Ou il y a juste moi qui...

– Personne sait, que je réponds. Presque personne. J'ai pas envie de me faire écœurer. Garde ça pour toi, OK ?

– Oui, oui, mais...

Mais quoi ? Je ne veux pas que ça recommence comme au collège. J'aurais dû ne rien dire, j'aurais dû rester chez Darius.

– Écoute, soupire Julien. J'aime les gars, moi.

– Je suis un gars...

Ma voix est faible. Tout à coup, je n'en suis pas convaincu.

– C'est juste... T'as pas les morceaux que..., commence-t-il avant de s'interrompre et de hausser les épaules. Je vais rien dire, promis. OK ?

Je hoche la tête. Et voilà, c'est mort dans l'œuf avant même d'avoir commencé. Avec un « Je rentre, tu viens ? », Julien rebrousse chemin. Il ne se retourne pas pour voir si je le suis et je reste là, les pieds gelés dans la neige. Le voir s'éloigner, ça me blesse vraiment. Plus que je ne l'aurais pensé. Je n'arrive pas à bouger, j'ai un peu la tête qui tourne. Je crois que c'est parce que je retiens mes larmes trop fort.

– T'étais où ? s'informe Pascal quand je reviens finalement chez Darius.

– Dehors.

– Avec Julien ?

Surpris, je m'étouffe presque. Comment il sait ça ? J'opte pour une réponse plus vague que vague.

– Quoi ?

Je cherche Julien des yeux, mais je ne le trouve pas. Du divan du salon, Mik salue Pascal. Je vois Xin en grande conversation avec sa nouvelle blonde. Ça fait mal tout ça... Quand est-ce que je vais avoir quelqu'un, moi aussi ? Quelqu'un qui va s'en ficher que je sois un modèle à reconstruire ?

– Je vous ai vus sortir, explique Pascal.

Je mens.

– On a juste discuté.

– Oh.

Il a l'air déçu. Moi aussi, je suis déçu et je n'ai pas envie d'en parler. L'humiliation et la tristesse se battent dans ma tête, je ne sais honnêtement pas laquelle va gagner.

Je savais bien que j'allais rester à coucher... Durant la nuit, je fais semblant de dormir, alors que Pascal se réveille de temps à autre et replace la couverture sur mon dos. Allongé sur le ventre, je suis incapable de sombrer dans le sommeil. Nous sommes six gars dans le salon, les filles dorment dans les lits en haut. Julien est parti avec son groupe d'amis. Il m'a fait un salut de la tête ; je crois vraiment qu'il ne dira rien. Au moins ça...

Lorsque le soleil commence à se lever, je me redresse et vais à la salle de bain remettre mon *binder* et m'habiller. Sur le comptoir, il y a des ciseaux. Non, pas question, c'est fini tout ça. Il y a de bonnes choses dans ma vie maintenant, ce n'est pas que douleur et tristesse à l'intérieur de moi.

Je m'assois sur une chaise de la cuisine et regarde la cour s'éclairer peu à peu, je vois les traces que Julien et moi y avons faites.

À bien y penser, c'est mieux qu'il m'ait rejeté tout de suite et non plus tard. Comme ça, je n'ai pas eu le temps de m'investir, de penser que peut-être... lui et moi, ça irait quelque part. Je le connais à peine, je doute qu'on se reparle de toute façon ; il est passé dans ma vie vraiment rapidement. C'était rien du tout, au fond.

C'est seulement que... Je comprends tout à coup que je dois me préparer pour des situations comme celles-là. Des moments où je vais me faire repousser. Je dois m'endurcir parce que je ne veux pas être blessé à tous les coups. Je pense que je dois me préparer à l'éventualité où je ne trouverais personne qui puisse m'aimer comme ça, en pas tout à fait homme. Il faut que je réapprivoise la solitude ; j'avais presque oublié ce qu'elle goûte, celle-là, depuis que j'ai des amis qui m'apprécient et que, quand je me regarde, je ne vois plus un étranger. Est-ce que tout le monde ressent ce besoin douloureux d'être avec quelqu'un ? Est-ce que c'est une étape normale, qu'on soit trans ou pas ? Peut-être que c'est parce que je me suis senti seul bien trop longtemps que l'idée de ne jamais avoir de chum me blesse comme ça. Ou parce que je sais que c'est une réelle possibilité.

Ce n'est peut-être pas si important ; il y a des gens qui restent célibataires toute leur vie, non ? Je peux faire ça. Être l'oncle génial qui gâte les enfants des autres, qui peut faire ce qu'il veut parce qu'il n'a pas d'attaches, ce n'est pas si mal, non ? Oui, je peux faire ça.

Dom et moi sommes assis au cinéma, presque seuls dans la salle. C'est lundi. Jasmine l'a abandonné pour la soirée, on n'est que tous les deux. Alors on parle de danse. Il dit, pensif :

— Je pourrais pas décider qui j'aime le plus, sérieusement. Ian Eastwood a ce petit côté excentrique quand il bouge. Mais Brian Puspos est juste trop *smooth*. Et puis Kyle Hanagami, bien... ses chorés sont limite lyriques...

— Ian est super inspirant... Je pense que je dirais Kyle quand même. Il a de bonnes idées aussi. Juste plus... douces. Il porte attention à chaque note...

— Il y en a qui disent qu'il est gay. Kyle, je veux dire.

Je crois que je deviens rouge parce que Dom me dévisage.

— T'es intéressé ou quoi ? Ne me dis pas que t'es...

— Moi ? que je rétorque, mon popcorn soudainement aussi captivant que la pierre de Rosette. Pantoute.

– *Bullshit*, laisse échapper Dominic en riant.

– C'est pas drôle...

Dom me lance un tranquille *come on,* mais j'évite son regard. Je n'ai pas le goût de parler de ça.

– Quand je t'ai connu, avant de savoir que t'étais trans, je pensais que t'étais gay déjà, reprend Dominic. Après, je me suis dit que t'aimais les filles.

– Je devrais..., que je chuchote. Mais c'est pas le cas.

– C'est dommage par contre, on pourra pas regarder les filles ensemble et faire des commentaires sur leurs derrières.

Son sarcasme me fait sourire. Il ne ferait jamais ça ! Dom est un grand romantique. Comme Schlegel ou un autre vieil auteur que les profs de français nous font lire. Il est toujours tellement *sweet* avec les filles. Être hétéro (et surtout moins gêné), je serais jaloux de ses tactiques.

– T'es vraiment pas à l'aise d'être homo ? me demande Dom.

Nouveau haussement d'épaules de ma part. Il tape sur ma casquette.

– Arrête, j'ai une cousine lesbienne et un ami transsexuel que tu connais peut-être, pas besoin de mentir ou d'être embarrassé, Éloi. C'est pas comme si ça allait me déstabiliser, hein ?

Je ne dis rien. La salle commence à se remplir. Pourtant, tout au long du film, j'y pense. Pascal, Mik, Xin, Jean-Séb, tout le monde est à l'aise... Faudrait peut-être que, moi aussi, je le sois, non ? En fait, je pense que je me protège. J'ai vu ce que ç'a donné quand j'ai essayé... Pas question que j'en parle à Dom, c'est clair ! Si j'ai honte, je ne fais rien, et si je ne fais rien, je ne me fais pas rejeter. CQFD.

16 ans 8 mois

Je sors de la douche et m'enveloppe dans le drap de bain. J'attrape la boîte à lunch. Désinfecte, remplit. J'écarte les pans de la serviette, pince un peu de peau près du nombril. Injecte. J'attends quelques secondes, l'aiguille dans la peau, puis je la retire, presse mon ventre avec une gaze stérile.

Et une injection de plus...

La serviette étant ouverte, je vois en bas, entre mes jambes. Je vois les changements que la testostérone a apportés à mes organes génitaux, ce qui était mon... le... mon clitoris ressemble maintenant à un petit pénis. Vraiment tout petit. Est-ce que j'en aurai un vrai, un jour ? Je ne veux pas y penser, ça me fait peur. Il y a plusieurs choix d'opérations, plusieurs possibilités. Plusieurs risques aussi. Je referme la serviette, attrape mon rasoir.

Devant mon reflet, je m'étudie. Je pense que je vais juste raser les quelques poils sur les joues. Le reste se remplit un peu : les favoris, la mâchoire, le menton. J'aime ça, j'ai l'air plus vieux, plus homme. Si je pouvais arrêter d'avoir des boutons, ce serait bien.

Huit mois sous hormones. Je n'ai pas encore subi tous les changements qui surviennent dans la première année, mais je suis très content. Je ne sens plus une force étrange dans mon propre corps. De plus en plus, mon dedans et mon dehors s'entendent. J'aime mon reflet, je ne lui parle pas comme s'il était un fantôme que je suis le seul à voir. Ma mâchoire a perdu son arrondi, elle s'élargit un peu. J'ai pris presque vingt livres depuis juin. Que du muscle ! J'ai grandi de cinq centimètres avec cette nouvelle puberté. Mes hanches sont un petit peu moins larges, même si elles n'étaient pas très féminines à la base, et mes épaules, plus carrées. J'apprécie vraiment de ne plus être le petit maigrichon qui n'arrive pas à lever plus de quarante livres au gym. Mon tour de poitrine a aussi diminué, ma taille n'a plus vraiment de courbes...

Quand je me regarde tout habillé, je vois un garçon, un homme en devenir. C'est ce que les autres voient aussi et ça compte presque autant que ma satisfaction devant mon reflet.

– Éloi ? m'appelle ma mère de l'autre côté de la porte. Tu as bientôt fini ? On part faire l'épicerie dans quinze minutes !

– J'arrive !

Je mets un peu de crème anti-acné dans ma main après m'être mouillé le visage. J'ai adopté cette routine de crème, matin et soir. Je trouve ça assez ironique ; je me crème comme ma mère alors que je fais tout pour être comme mon père...

Plus tard, après l'épicerie, nous arrêtons à la pharmacie. Je devais aller me chercher une nouvelle bouteille de testostérone. J'ai eu ma testo à notre pharmacie habituelle, mais ils n'avaient plus de petites aiguilles, alors je dois aller ailleurs.

– Je reste dans l'auto avec Annabelle, dit mon père.

Ma sœur dort dans son siège, à l'arrière. Ma mère et moi sortons du véhicule et entrons dans la pharmacie.

Ma mère prend place sur l'une des chaises qui sont mises à la disposition des clients. Il y a une mère avec son fils, une fille d'environ mon âge et un couple de l'âge de mes parents. En plus d'une vieille dame assise devant la machine pour prendre la tension. Bref, heure de pointe.

Je me présente au comptoir, sors ma carte d'assurance maladie et croise mentalement tous les nerfs de mon corps pour que la chance soit de mon côté.

– Éloïse ? s'étonne le technicien. C'est un drôle de nom pour un gars.

Moi : de marbre. Il regarde ma carte de nouveau, me fixe.

– C'est inscrit que tu es une fille là-dessus. Tu n'aurais pas pris la carte de ta sœur, par hasard ?

Moi : un peu humilié. Je lui tends mon sac avec ma prescription d'hormones et ma bouteille de testostérone à l'intérieur. Il lui faut quinze bonnes secondes avant de comprendre. Je peux presque voir une lumière s'allumer au-dessus de sa tête, comme le coyote de Road Runner quand il a une idée.

– Tu es transsexuel, alors ?

Moi : oh, mais ta gueule.

– Est-ce que je peux juste avoir mes aiguilles ? Des 25, et 5/8e de pouce.

– Oui, bien sûr, répond le gars en tapotant sur son ordinateur. C'est seulement... On dirait pas que t'étais une fille. Félicitations.

Félicitations ? Je viens de lui faire un tour de magie ou quoi ? J'ai attaché mes souliers correctement ? Je sais, son intention est bonne et je ne devrais pas être si dur, mais c'est blessant, ce genre de commentaires.

Il doit avoir l'âge de mon frère ; je lis Namir sur son badge. Il prend bien plus de temps que nécessaire pour regarder ma carte et son ordinateur. Il demande à une femme, dans un chuchotement, d'aller chercher les aiguilles en lui montrant le flacon de testostérone et ma carte. Échange d'informations supposément secrètes concernant MON corps !

– Est-ce que je peux te poser une question ? s'informe le gars avant de poursuivre sans attendre de réponse : T'as eu l'opération ?

– L'opération ?

Il hoche la tête. Je sens plein de paires d'yeux dans mon dos, je suis super mal à l'aise. Je continue malgré tout :

– Celle avec un grand O ? La seule et unique ?

Je pense qu'il se rend compte que je le niaise parce qu'il fronce les sourcils.

– Tu as une autre pièce d'identité ?

En soupirant, je sors ma carte d'étudiant. C'est la seule où mon vrai prénom, celui que j'ai choisi, est écrit. J'ajoute ma carte d'apprenti conducteur et celle d'assurance sociale, pour qu'il voie que ma date de naissance est la même. Flush royale. J'ai déjà fait un cauchemar qui commençait comme ça : on me demandait de montrer de plus en plus de cartes et ça se terminait par quelqu'un qui exigeait que je baisse mes pantalons pour prouver que j'étais biologiquement fille. La honte extrême. Il y avait tous les élèves de mon collège et ils me lançaient des concombres. Symbole phallique, je suppose.

Finalement, je peux reprendre mes cartes et on me demande de m'asseoir. Silence total dans la minuscule salle d'attente. Ça pue le malaise. Mon père choisit ce moment pour se pointer, Annabelle éveillée dans ses bras.

– Qu'est-ce qu'il y a, Danielle ? demande-t-il, remarquant sans doute son air crispé.

Elle secoue seulement la tête. Je voudrais me cacher sous ma chaise. Je vois la femme près de moi serrer son enfant quand mes yeux se posent sur elle. Je ne vais pas l'attirer dans une secte de transsexuels, allo ! La fille de mon âge ricane, elle envoie un texto ou un courriel, je ne sais pas. Nos yeux se croisent et elle fixe son téléphone.

– Éloïse ? lance une voix.

C'est une nouvelle technicienne, plus âgée. J'aurais envie de rester assis, de faire comme si, non, mon prénom n'avait jamais été Éloïse.

– Pardon pour le manque de tact de mon collègue, dit-elle.

Moi, soulagé.

– C'est qu'on ne rencontre pas beaucoup de transsexuel, hein...

Oh non...

– En plus, je remarque que tu réponds bien à la testostérone.

Ah, ça, c'est plus humain comme approche...

– Je serais bien curieuse de voir de quoi ont l'air les résultats de vos opérations, reprend-elle en entrant mon achat dans l'ordinateur.

Elle me regarde, comme si elle attendait que je lui dise que, le jour où je vais me faire opérer, elle sera la première à pouvoir m'examiner !

Je lance :

– Essayez Google...

Je prends mon paquet d'aiguilles, glisse un billet de cinq dollars sur le comptoir et me retourne vers mes parents.

– Je vous attends dans l'auto, OK ? J'ai besoin d'air.

Je ne vais pas rester là à attendre la prochaine stupidité en silence. Mais je ne veux pas me mettre en colère, ça ne donnerait rien. À part faire peur au petit garçon.

Quand mes parents montent dans la voiture, je vois mon père me jeter une œillade dans le rétroviseur. J'ai remonté mes genoux à ma poitrine, je me sens toujours mieux en petite boule comme ça, mais, sous son regard, je me redresse.

Le trajet jusqu'à la maison se passe sans parole. Souvent, les gens qui remarquent la différence entre mon nom et mon visage se contentent d'un regard. Quand, par bonne volonté, ils veulent montrer qu'ils sont ouverts d'esprit, c'est là que des situations comme celle d'aujourd'hui se produisent. J'aurais envie de leur dire que leur silence serait la plus belle preuve de soutien, que je ne fais pas tout ça pour changer la manière dont on me perçoit à l'extérieur pour me faire demander si j'ai un pénis. Ce truc que je veux, mais que je n'aurai peut-être jamais. Parce que je suis né Éloïse.

À la maison, je sors de la voiture à la suite de mes parents.

— Tu pourrais au moins nous aider à vider le coffre, lance mon père alors que je me dirige vers l'entrée.

C'est vrai, l'épicerie. Je prends deux sacs.

— Après ce que tu viens de faire vivre à ta mère, grommelle mon père.

— Pardon ?

— Tu as très bien entendu.

Je secoue la tête. Je n'ai pas envie de m'engueuler avec lui, ça va mal tourner. Je sais que ma mère est mal à l'aise, c'est évident. Et moi ? Je nage dans le bien-être peut-être ?

— La prochaine fois, ne compte plus sur nous pour t'emmener à la pharmacie.

OK, c'est trop. Je me retourne vers lui, à deux doigts d'entrer dans la maison.

— Parce que tu veux pas voir ? que je lui demande. Tu penses que ça va te donner bonne conscience de faire comme si on me traitait pas comme un truc bizarre si t'es pas là pour t'en rendre compte ?

– Peut-être ! Qu'est-ce que ça change ? Il faut que tu assumes, ta mère n'a pas à être humiliée comme elle vient de l'être.

– Tu penses que ça me fait plaisir, à moi ?

– Comme on fait son lit, on se couche, pas vrai ? Tu sais que la solution est simple, Éloïse.

– Non ! Tu te trompes de solution. Un formulaire envoyé au Directeur de l'état civil, c'est ça la solution. Parce que tu t'imagines que ça n'arrive qu'à la pharmacie ? Pourquoi tu penses que je ne veux pas passer mon permis de conduire ? Parce que, tant que je ne serai pas Éloi Gallagher sur mes cartes, jamais... jamais tu vas t'épargner une humiliation avec moi, papa. Autant ne plus t'approcher, qui sait qui pourrait me carter ! Oh, j'oubliais, tu ne t'approches déjà pas...

Mon père me regarde durement et je tourne les talons pour entrer dans la maison. Je dépose les deux sacs à la cuisine, en vide le contenu, enragé.

– Je n'aime pas quand tu parles comme ça à ton père, Éloi, me sermonne ma mère en arrivant derrière moi.

– Je n'aime pas quand il me prend pour un lépreux narcissique.

– Ce n'est pas une raison pour lui manquer de respect... J'aimerais tellement que tu sois tranquille, ajoute-t-elle tout doucement.

– Moi aussi, que je soupire. Désolé... pour tout à l'heure. Et... pour m'être emporté avec papa.

– Il l'a un peu cherché, admet ma mère avec un petit sourire.

Elle me demande, alors qu'on entend la porte d'entrée se refermer et les petits pieds de ma sœur courir vers nous :

– Tu penses que changer ton nom préviendrait des situations comme celles-là ?

– Ça m'aiderait beaucoup. Je veux juste être invisible, maman, et...

J'aurais ajouté quelque chose, mais mon père entre dans la cuisine. Ma mère et lui échangent un regard et je les entends se disputer dès que je quitte la pièce avec Annabelle. Je ne crois pas qu'ils savent que la fenêtre au-dessus de l'évier est ouverte. Alors que je surveille ma sœur qui joue dans le carré de sable de la cour, leur conversation coule jusque dans mes oreilles.

– Tu es tellement dur avec lui, soupire ma mère.

– C'est ça, c'est ma faute... Ne viens pas me dire que, tout à l'heure, tu n'avais pas envie qu'elle soit différente. Tu étais gênée, je l'ai vu.

– Ça n'a rien à voir...

– Oh que si...

Je vois le dos de mon père dans la vitre, il doit s'être appuyé contre l'évier de la cuisine. Il continue :

– Tu as aussi honte que moi.

– Non, tu te trompes. J'ai pas honte. C'est certain que je voudrais que les choses soient différentes, je mentirais en disant le contraire. Mais la réalité, c'est pas ça. C'est Éloi, notre réalité. J'ai peur pour lui, Curtis, j'ai toujours peur. Ne confonds pas ma peur avec de la honte, je te l'interdis.

Il y a un long silence. Assis sur la balançoire, j'attends. Combien de disputes entre mes parents ai-je surprises depuis que j'ai commencé ma transition ? Je ne les compte plus.

– Il faudrait faire changer son nom, dit finalement ma mère. Pour qu'il soit plus en sécurité.

– Et laisser partir Éloïse ? C'est la seule chose qui reste de... Je peux pas croire que t'oublies que c'était ta fille.

Le ton de mon père est incrédule ; je le vois se passer la main dans les cheveux. Ma mère doit voir quelque chose sur son visage parce qu'elle reprend, presque attendrie :

– Curtis... J'oublie pas. J'oublie pas Éloïse, c'est pas possible, elle est encore là, pas si loin.

Sa voix est tendre et basse. Je quitte la balançoire et m'approche de la fenêtre. Je vois ses mains sur les épaules de mon père.

– Tu vas où ? me demande Annabelle en levant la tête de son trou.

Je mets mon doigt sur mes lèvres, je n'entends presque pas...

– ... ça ne change rien, c'est mon enfant. Je salue la personne qui est là, devant moi, et cette personne, c'est Éloi.

– C'est tellement dur de faire son deuil..., soupire mon père.

– Je préfère avoir un fils différent, mais en vie, qu'une fille morte. Tu sais autant que moi que ç'aurait pu arriver. Rendu là, le reste m'importe peu.

Les bras de ma mère encerclent le cou de mon père. Je m'éloigne, je ne veux pas qu'ils sachent que j'ai entendu.

Je murmure à l'intention d'Annabelle :

– Viens ! On va aller au parc, d'accord ?

– Pourquoi tu chuchotes ? ricane-t-elle.

Parce que j'ai une grosse boule dans la gorge. La culpabilité m'empêche de parler fort.

– Vous étiez où, vous deux ? m'apostrophe ma mère quand, une heure plus tard, je reviens avec ma sœur.

– On s'est balancés et j'ai sauté ! s'exclame Annabelle.

– Je t'ai déjà dit de pas lui montrer des trucs comme ça...

Je hausse les épaules. Si mon père avait fait un tel commentaire, j'aurais pensé qu'il avait peur que je rende ma sœur comme moi... Mais venant de ma mère, ça ne me dérange pas. Peut-être que j'ai tort de réagir comme ça devant lui. C'est juste que... J'ai besoin d'être en colère, et c'est facile de l'être contre lui. Je nous sens étrangers l'un à l'autre.

Alors que je monte les marches pour aller à ma chambre, ma mère me rappelle.

– Je vais faire la demande pour le changement de nom. Mais tu devras payer ta part, d'accord ?

Je jette un œil dans la cuisine. Mon père coupe des légumes sans dire un mot. Je sais qu'il entend tout. Je m'informe :

– Et papa ?

– Il va signer.

Je reste silencieux. Sait-elle que j'ai entendu leur conversation ? Je dis seulement merci. J'attends un peu, mais mon père ne lève pas les yeux. C'est dans des moments comme ça que je regrette de ne pas être insensible. Je me demande si je vais perdre mon père à cause de celui que je suis. Est-ce que j'ai encore une place dans son cœur ?

16 ans 10 mois

Je reviens du studio de danse où j'ai donné mon deuxième cours de la journée. La voiture de mes parents n'est pas dans l'entrée de la maison, ils doivent être partis au match de football de mon frère.

J'ouvre la porte et je m'arrête, un pied toujours à l'extérieur. Éloïse. Ma voix, mon ancienne voix, sort de je ne sais où.

Je me rends au salon, où je trouve mon père assis sur le divan, face à la télévision. Et je suis là, tout petit, durant une fête de famille. Ça me fait vraiment bizarre de me voir, comme ça, avec les cheveux longs, une petite carrure et une voix de souris. Est-ce que c'était déjà possible de voir le malaise qui bouillonnait en dedans ? Je n'ai pas regardé ces vidéos depuis... ouf... jamais, je crois.

Quand j'aperçois ma grand-mère dans un coin de l'écran, mes jambes s'activent toutes seules, je vais prendre place sur la causeuse. Je sens les yeux de mon père sur moi, mais ni lui ni moi ne parlons.

Sur l'écran, c'est Noël. Je vois mes cousines tournoyer dans leurs robes chics alors que je suis assise avec mes cousins. Mon grand-père me passe la main dans les cheveux, alors que tout le monde chante. Ma mère me dit d'arrêter de lancer des arachides dans la bouche ouverte de mon cousin qui fait des bruits de phoque.

Ça me fait sourire et je regarde mon père. Ses yeux sont rivés sur l'écran, il a les sourcils froncés et une barre au front, comme lorsqu'il s'apprête à m'engueuler. Il ne me jette pas un regard.

La vidéo de Noël se termine, et enchaîne avec une autre de chasse aux œufs de Pâques, puis une de l'été suivant. La caméra est sur mon frère qui plonge dans une piscine, celle de mon oncle Martin ; je reconnais la cour. En arrière-plan, sur le patio, mon père me parle fortement. Il me tend un chandail pour que je me couvre le torse. Je dois avoir cinq ou six ans. Apparemment, je n'ai mis que le bas de mon maillot.

« Tu me fais honte ! » dit mon père alors que je tourne les talons piteusement, sans doute pour aller m'habiller à l'intérieur.

Dans le salon, j'entends mon père soupirer en passant une main sur ses yeux. Il va pleurer ? Mais non... Avant que je ne voie mon père pleurer, je vais sûrement être à l'article de la mort.

Une vidéo d'Halloween : je suis déguisé en pompier, Gabriel à la main. On me voit entrer dans le salon, tout fier. Ma grand-mère s'exclame que c'est parfait. Ma mère a l'air moins convaincue, mais elle sourit, et mon père... quand le mini-moi lui jette un œil, il détourne les yeux. Je baisse les miens avant de voir mon frère qui me tend un sac pour que nous partions ensemble chercher des bonbons. Suit une vidéo où je fais du patin à roulettes. Ma mère me dit d'arrêter de faire des acrobaties parce que je ne fais que tomber.

Ensuite, c'est le Noël suivant, dans notre maison. Joël et moi, on est en pyjama. Mon frère vient de déballer une grosse boîte de Lego. J'ai dans les mains une trousse de faux maquillage que mon grand-père m'a donnée et je regarde Joël... tellement intensément...

Assis dans la causeuse de notre salon, dix ans plus tard, je me sens super mal. Le malaise, je le vois dans les yeux de moi-enfant, je le ressens à l'intérieur de moi-maintenant.

À l'écran, j'ai l'air extrêmement envieux et coupable tout à la fois. Je suis assis sur le sol près de Joël, le torse penché dans sa direction, les doigts pressant fortement une boule de papier d'emballage.

Je regarde mes mains de maintenant, mes doigts qui resteront à jamais longs et fins, comme ceux de ma mère. Je ne veux plus voir, ça commence à faire mal. J'ai beau dire que je ne veux pas oublier le passé, c'est difficile de l'affronter avec sérénité. Comme s'il avait lu dans mes pensées, mon père met le DVD sur pause. Ma vie d'avant s'arrête, entre une déception et un peu de maquillage.

– Tu m'en veux, hein ? me demande-t-il soudain.

Pendant une seconde, je crois avoir imaginé les mots. Il ajoute :

– La vérité...

J'hésite un moment et soupire. De soulagement, de fatigue ou de découragement, je ne sais pas trop. Il veut la vérité ? Il va l'avoir...

– Je t'en veux... Beaucoup, même. Je t'en veux de toujours me faire sentir comme si je le faisais exprès. Je t'en veux de ne jamais me regarder dans les yeux... Je t'en veux de ne jamais faire d'effort, de penser que c'est ma faute. Et puis... Le truc, pour lequel je t'en veux le plus, c'est de m'avoir interdit d'avoir peur... « Ne te plains pas », tu as dit. Mais j'avais peur, vraiment peur... J'avais besoin de toi et tu ne voulais pas être là.

Tout ça sort de ma bouche avant même que j'y pense vraiment. Il y a un long silence, tellement long que je me crois seul.

– Je voulais une fille..., commence mon père dans un chuchotement. Vraiment. Quand on a eu Joël, j'étais très heureux, mais à ta naissance... j'étais... extatique. Tellement content. Je m'imaginais déjà te voir grandir et repousser les garçons à la porte, te surprotéger. Je te voyais m'engueuler parce que j'étais trop envahissant. J'attendais... plein de choses qui ne se produiront jamais. Regarde-toi...

Je laisse mes yeux glisser sur l'écran qu'il pointe.

– Je le voyais, qu'il y avait quelque chose... T'étais pas comme les autres. J'ai eu une fille pendant quelques années et puis t'es partie. Pour aller je sais pas où. Tu avais toute cette colère... J'ai perdu ma petite fille, tu te rends compte ?

Mon père soupire. Je l'entends déglutir avec difficulté, je pense qu'il a la gorge remplie de larmes.

– Tu as Annabelle, maintenant, que je note tout doucement.

– C'est pas pareil, s'exclame mon père. Je peux pas échanger l'une pour l'autre ! Tu faisais toutes ces histoires pour être un garçon... Je voulais pas ça pour toi, c'était impossible que ce soit réel, que la petite fille que je voulais tellement soit comme ça... Que j'aie fait une erreur...

– C'est pas ta faute, tu...

– C'est la faute à qui, alors ? m'interrompt-il en me regardant pour la première fois. T'as pas fait exprès, j'ai pas fait exprès, mais quelqu'un a dû *fucker* quelque chose quelque part ! Je peux pas croire... C'est l'homme qui décide du sexe...

Je n'ai rien à répliquer à ça. Je connais la biologie ; il a raison, l'homme a le dernier mot sur le sexe. Mais est-ce qu'il a le dernier mot sur la tête ? Si les deux ne vont pas ensemble, est-ce que c'est réellement la faute du spermatozoïde isolé qui est assez brillant pour trouver l'ovule avant des millions d'autres ? J'en doute. Il se frotte les yeux du bout des doigts, comme pour chasser des images. Lesquelles ?

– Tu me fais peur, reprend-il. Réellement peur. Je ne sais pas ce que tu vis, ce que tu vas vivre. Je fais quoi, moi, face à toi ? Je devrais être plus fort que toi, mais c'est pas le cas. Je ne peux pas te guider, je ne te connais pas... C'est comme si, quand t'es passé d'une fille à un... à un gars, je t'avais perdu et, depuis des années, je te cherche.

C'est mon tour de ravaler mes larmes. Mon père a agrippé le sofa, comme j'avais agrippé le papier sur la vidéo, ses jointures sont toutes blanches. Je demande, la voix enrouée :

– Pourquoi tu m'as jamais dit tout ça ?

Nouveau silence, nouveau frottement d'yeux.

– Je sais pas... Je pense que je t'en veux aussi. J'aime Joël, j'aime Annabelle, je t'aime aussi, mais je sais pas comment te le prouver. Avec les autres... c'est facile. C'est si dur avec toi, je ne sais jamais comment t'approcher. Me semble que ça devrait être simple ! T'es mon enfant à moi ! Mais... Tu as changé tout ce que je pensais être vrai et je comprends pas comment tu te sens. Il y a quelque chose en toi que personne ici ne comprend, tu saisis ça ?

– T'as pas à comprendre, papa... Tu peux pas, même si t'essayais cent ans, tu *comprendrais* pas vraiment.

Mon père me regarde et, contrairement à mon habitude des dernières années, je baisse les yeux. Je n'ai pas envie de le défier. On ne s'est jamais parlé comme ça... Je ne me suis jamais assis avec mon père pour discuter, peu importe le sujet.

– Je regarde tout le temps les vidéos, dit-il. Et je vois... je te vois avant, je me rends compte que tu avais mal quelque part...

Mon père tend la main vers la télécommande pour éteindre la télévision.

– Dis-moi quoi faire. Je sais pas quoi faire. J'arrive pas à oublier ma petite Éloïse que t'as enterrée quelque part au fond de toi. J'ai du mal à te regarder comme un gars. J'ai encore de la misère à le croire. C'est pas que je veux pas, c'est que je sais pas ce que t'attends de moi... Et ça me met en colère...

Ces paroles sont la goutte de trop, les larmes me montent aux yeux et je bats des paupières comme si je voulais m'envoler. Je dis, la voix plus enrouée que je ne le voudrais :

– Éloïse, je l'ai pas enterrée, c'est toujours moi, avec un dehors différent. Je pense pas que c'est ta faute, papa... C'est le genre de situation où il n'y a pas de coupable et même s'il y en avait un, ça changerait quoi ? J'ai pas besoin que tu comprennes tout, que tu saches tout, que tu... J'ai pas besoin que tu te trompes jamais de nom, de pronom, j'ai pas besoin que t'aies pas de regrets... J'ai juste besoin de savoir que t'es là.

J'essuie mes yeux et je vois mon père faire de même, subtilement. J'ai l'impression qu'une seule parole de travers va tout faire exploser, mais je n'arrive pas à arrêter de parler.

– J'aurais voulu que tu me montres comment me raser, j'aurais aimé pouvoir répondre aux gens qui m'écœuraient à l'école : « *Watch out*, mon père va te ramasser si tu continues. » J'ai des amis, mais des fois... des fois, je me sens tellement tout seul... Je vais me sentir coupable toute ma vie de pas être comme tu le veux et j'aimerais ça que, des fois, tu me dises que c'est pas grave. Même si c'est un mensonge.

Je me tais. J'ai peur de trop en dire, d'avouer que, des fois, quand je me faisais frapper au collège, je me disais que, si mon père avait été un élève, il aurait été dans le groupe qui frappe. Hier... il y a une heure encore, j'étais convaincu qu'un jour on ne se parlerait plus parce qu'il me déteste.

Mon père me dévisage longuement et intensément. Il hoche enfin la tête.

– Je vais arranger les choses, je te le promets. D'accord ?

Je dis « d'accord ».

Quand ma mère, Annabelle et mon frère reviennent du match vers six heures, je suis dans ma chambre. J'entends les mots « steak » et « salade » et ensuite le mot « douche » prononcé par Joël. Puis mon père crie :

302

– Éloi ! Viens, je vais te montrer à faire du barbecue !

Pendant une seconde, je n'arrive pas à bouger. Je sens cette chaleur qui monte, qui monte... comme un gros soleil. Ma bouche s'étire en un immense sourire. Je dévale les marches et passe devant ma mère et mon frère. Ils ont l'air abasourdis.

Je rejoins mon père près du barbecue et j'apprends un truc. Des trucs, enseignés par mon père. Il se trompe de pronoms plusieurs fois, mais je m'en fous. On n'a pas de contact physique, il ne me serre pas dans ses bras en disant : « T'es mon fils manquant ! », il ne m'offre pas sa compassion entière et totale, mais j'ai le sentiment qu'il m'intègre enfin dans sa famille.

J'ai un père, maintenant.

16 ans 11 mois

Première fin de semaine du mois de mai, c'est la Fierté Trans. Beaucoup de gens connaissent la semaine de la Fierté Gaie qui se termine avec un défilé. Ça, c'est en août. La Fierté Trans, c'est plus petit, ça ne dure qu'une journée. C'est l'occasion de discuter de certains sujets chauds, de prendre connaissance des nouvelles réglementations en ce qui a trait à la transition et de rencontrer d'autres transsexuels, des personnes transgenres, *genderqueer*, bref, tout ce qui se trouve entre la case « féminin » et la case « masculin ». C'est ma deuxième année de présence ; l'an dernier, j'y suis allé avec Pascal. Je me suis fait tout petit, j'avais peur qu'on me traite d'imposteur ; je n'avais pas encore commencé à prendre des hormones. Je me suis vite rendu compte que je n'avais rien à craindre. Une journée comme ça t'ouvre les yeux sur un monde de nuances... Ceux et celles qui organisent la Fierté veulent seulement aider certaines personnes qui s'y présentent en ne sachant pas trop si elles vont faire ou non une transition, donner de l'information. Leur faire sentir qu'elles ne sont pas toutes seules.

– Tu veux t'asseoir derrière ? me propose Dominic.

On trouve deux chaises libres sur la droite. Plus tard, on fera le tour des stands. J'ai remarqué une femme qui vendait des films, je dois aller voir ça.

Après la seconde conférence, je me lève, m'étire et demande à Dom :

– Tu veux quelque chose à boire ?

– Un Coke, répond-il. Tu peux me prendre des chips au ketchup aussi, s'il te plaît ?

Au comptoir, j'attends mon tour. La femme de l'autre côté me sourit.

– C'est toi ou c'est lui ? s'informe-t-elle.

Elle désigne Dominic, qui discute avec une femme assise devant lui. Je pense que je rougis, mais je me dis que tout le monde dans cette salle est trans ou connaît une personne trans, je n'ai pas à être gêné. C'est une journée de fierté.

– Je suis FTM.

– Tu ressembles à mon fils, me dit la femme.

– Oh, il est...

– Non, pas du tout, c'est moi, le mouton noir. Mais mon fils et toi, vous avez le même visage.

Est-ce qu'elle se rend compte à quel point cette conversation me fait plaisir ? Je pense que je souris de toutes mes dents.

– Tu veux quoi, mon grand ? me demande-t-elle encore.

Je commande un sac de chips au vinaigre en plus et elle me touche la main en me remettant ma monnaie.

– Parfois, j'aurais aimé commencer ma transition quand j'avais ton âge. Tu as de la chance.

Lorsque je m'assois près de Dominic, je me sens bien. Entouré de tous ces gens. Si différents de moi et pourtant si semblables. Et puis, cette femme a raison. J'ai eu de la chance. Je ne sais pas ce qui se serait passé avec moi si je n'avais pas compris si tôt. Je me demande ce que Paul Gélinas fait maintenant. Est-ce qu'il a rencontré d'autres jeunes comme moi et a su voir leur douleur ? Et cette femme dans le métro ? Où est-elle maintenant ?

– Tu es dans la lune, me fait remarquer Dominic.

– La dame du comptoir était *sweet*.

– Ah oui ?

Il ouvre son sac de chips et m'offre une gorgée de boisson gazeuse.

– Tu vois le gars, là ? me demande Dom.

Il pointe devant nous, à quelques rangées de distance, deux personnes debout. Quelqu'un avec une robe blanche qui nous tourne le dos et un garçon aux cheveux blonds. Il porte un chandail du film *Ghostbusters*. Il n'est pas très grand, juste assez, et il a un visage qui... Je baisse les yeux vers mes mains, mais impossible de ne pas regarder encore. Il a quelque chose. C'est la mâchoire, je pense. Ou la confiance qu'il dégage. Il rit à gorge déployée et la fille devant lui se retourne un peu, manifestement gênée. Elle doit être en tout début de transition, elle a encore les cheveux courts, elle semble mal à l'aise. Exposée. Mais lui... il est... parfait. Superbe.

— Quand t'auras fini de baver, tu me répondras, lance Dominic, narquois.

Je lui lance un « ta gueule » entre mes dents. Je sais que je rougis.

— Je crois que je le connais, poursuit-il. On allait à la même école, il a un an de moins, je pense. On était dans la même équipe.

— Équipe de quoi ?

— Euh... Génies en herbe.

— Quoi ? que je m'exclame, incapable de ne pas rire. Tu m'as jamais dit ça ! Pascal est le *geek*, pas toi ! Tu gâches l'idée du *bum* rasé et tatoué qui fait du hip hop.

— J'étais pourri, aussi, admet Dominic.

Je soupire, satisfait :

– Je vais tellement te niaiser pour l'éternité...

Je reporte mon attention sur le duo en avant. La fille s'est assise et l'autre a glissé les mains dans ses poches et l'écoute. Il les ressort pour les passer dans ses cheveux et se faire une petite queue de cheval. Son chandail se soulève un peu, je vois les os de ses hanches. Ça y est, ma sensible libido est en marche...

– Peu importe, OK ? reprend Dom. Je voulais juste dire que je le connais. Et que c'est étrange de le voir là. Si je ne me trompe pas, il s'appelle Luka. Je ne sais pas qui est la fille, par contre. Je devrais peut-être aller lui dire allo ?

– Non, s'il te plaît.

J'ai chuchoté et Dominic se penche vers moi. J'essaie de m'expliquer :

– Ils vont savoir que je suis trans. J'ai pas envie que...

Je ne sais pas comment dire ça. Je n'ai pas parlé de Julien à Dominic, je ne l'ai dit à personne. Que j'avais eu mon premier baiser, enfin, mais que le gars en question avait été rebuté par mon absence de pénis. Depuis, Julien me salue de la tête, mais on ne s'est pas reparlé. Il n'a rien raconté à l'école, alors je respecte la distance, mais... je me sens rejeté. Chaque fois que je le vois, j'ai un peu mal, j'avoue.

Je ne lui en veux pas, pas du tout, même. Mais il m'a fait réaliser que j'allais peut-être passer ma vie seul et ça fait encore mal. Sans le vouloir, Julien m'a fait sentir... inadéquat et malade pendant un moment et j'ai détesté ça. Le gros monstre de la dysphorie ne m'a pas quitté pendant quelques semaines après ça. Je me sentais mal, vraiment mal, ça faisait longtemps que je ne m'étais pas senti aussi... à bout de souffle. Je pense que, pour le moment, m'éloigner de tout le monde est la solution. Mon père passe peut-être par-dessus son malaise, mais pas moi.

Le gars, là-bas, Luka, je n'ai pas envie qu'il sache que je suis un différent. Ça me fait peur, je ne sais pas pourquoi.

– J'irai pas lui parler, dit Dominic devant mon silence. C'est correct.

– Tu dois me trouver con, hein ?

– Ben non. T'en fais pas.

Dom me met son sac de chips sous le nez et me rappelle que j'en ai un. Je me dépêche d'en prendre quelques-unes avant que le prochain intervenant commence à parler.

Maintenant, assis au milieu d'une centaine d'autres personnes qui me ressemblent, je me dis qu'il faudrait, au moins une fois, que les gens sachent comment c'est, de notre côté. Comme ça, je pourrais dire à la prochaine personne qui va vouloir me rejeter : « Tu vois, c'est pas si mal ! Laisse-moi une chance ! » Mais ça ne marche pas comme ça. On ne force pas le désir des gens. Tout comme on ne force pas un gars à être une fille.

17 ans

J'ai eu dix-sept ans il y a dix-sept jours. Ça fait un an que je suis sous hormones. Comme le temps passe vite ! Les changements sont très lents maintenant, je les vois à mes boutons qui se sont beaucoup, beaucoup calmés, qui sont allés embêter un autre ado, au poil sur mon visage, à ma voix qui, je crois, a finalement atteint son point le plus grave. En un an, mon corps a finalement capitulé, l'erreur que la nature a faite a été un peu corrigée. J'ai fait la paix avec moi-même. *Un peu.*

Quand je sors de la douche et croise le reflet entier de mon corps dans le miroir, j'ai encore l'impression de regarder un étranger. Je ne reconnais pas l'homme que je veux être dans ces deux trucs sur ma poitrine, dans ce vagin qui était destiné à quelqu'un d'autre que moi. J'ai encore cette espèce de sentiment indescriptible, comme si mon âme tremblait sous ma peau, pour la briser, comme si mon dedans voulait casser le dehors. J'ai l'impression d'être moi et pas moi tout à la fois. Je sais que ce vagin est le mien, mais je n'arrive toujours pas à l'accepter sans regret. Ces trucs sont des convives non invités à un party qui, sans eux, serait génial.

Puis je mets mon *binder*, un boxer, enfile un chandail, des shorts... et ça va mieux, tout est caché, je ne vois plus, je sens moins.

Il me reste encore un an... Je pourrai alors me faire enlever les seins. Ce sera ça, ma première étape, après mes dix-huit ans : *out*, la poitrine. Je veux me baigner ; je veux pouvoir marcher sans chandail dans la maison ; je veux ne plus jamais avoir à me demander si ça paraît ; je veux me changer dans les vestiaires sans trop m'en faire ; je veux... Je veux faire un pas de plus en avant, marcher un peu plus loin sur mon chemin.

J'ai vu mon endocrinologue il y a deux semaines. Avec lui, il y avait un stagiaire qui travaille habituellement avec les adultes. Il était surpris lorsqu'il a pris connaissance de mon parcours, de mes mots quand j'avais trois ans, de mes crises à l'école, des autres psychologues, des bloqueurs... Ça m'a rappelé à quel point je suis chanceux d'avoir pu commencer ma transition si jeune, d'avoir compris avant de passer des années à me chercher et à prendre un rôle qui n'était pas le mien dans le monde des « grands ».

Dans dix jours, c'est le bal des finissants ; je suis allé chercher mon tuxedo. Ben oui, je suis trop *cool* pour un complet normal. J'ai fait une marque sur mon calendrier à la date du dernier jour du secondaire, la fin d'une étape plus qu'éprouvante. Je suis vraiment soulagé d'avoir traversé le secondaire en un morceau et de pouvoir entrer au cégep sans embûches.

L'an dernier, je n'aurais jamais imaginé que j'irais au bal, encore moins que j'aurais envie d'y aller. L'an passé, je comptais les jours avant la fin de l'année, je me promenais dans les corridors la tête rentrée dans les épaules, sans amis et, surtout, sans confiance en moi. J'avais des notes atroces, mais aujourd'hui, je peux presque dire que je suis une bolle. Presque. Je me demande parfois si je serais encore dans le vestiaire des filles au collège... Avec mon corps de maintenant, ma voix... Remarquez, dans le vestiaire des gars, ç'aurait été dangereux. Je n'oublierai jamais Pas-de-couilles.

Maintenant, je peux le dire avec honnêteté et sans hésitation : *It gets better.* Je pourrais même dire que je suis assez heureux. Lentement, mais sûrement, les choses s'arrangent ; les émotions se tassent ; les douleurs s'atténuent et je reprends le contrôle de moi... Je m'approche de celui que, quand j'étais petit, je m'imaginais être. Et si j'avais à dessiner ma famille à nouveau, personne ne me dirait que j'ai fait erreur.

L'an passé, j'attendais les hormones ; cette année, j'attends la mastectomie. L'an prochain, je vais sûrement attendre l'hystérectomie. Et l'année d'après... je n'en sais rien. Et, pour le moment, je m'en fiche...

Le présent n'est pas si mal, non ?

Remerciements

Merci aux Éditions de Mortagne d'avoir accepté ce projet.

Merci à Kathy et au docteur Shuvo Ghosh pour leurs indications et confirmations.

Merci à Mary-Ève, ma cousine adorée qui a décrété : « C'est correct que tu sois trans ; de toute façon, j'avais pas assez de cousins. »

Danke shun Kerstin, my best friend from the other side of the world. Backpacking foreign countries wouldn't be the same without you and I wouldn't be the same without you.

Ressources au Québec

Aide aux trans du Québec
www.atq1980.org/
Ligne d'écoute confidentielle : 514 254-9038

AlterHéros
www.alterheros.com/

Centre 2110 (Centre for Gender Advocacy)
www.centre2110.org/
genderadvocacy.org/

Centre de prévention du suicide
www.cpsquebec.ca/
1 866 277-3553

D'un autre genre (forum)
dunautregenre.xooit.com/index.php

Enfants transgenres Canada
enfantstransgenres.ca/

Fondation Émergence
www.fondationemergence.org/

Gai Écoute
www.gaiecoute.org/
Montréal : 514 866-0103
Ailleurs au Québec : 1 888 505-1010

GRIS-Montréal
www.gris.ca/2009/index.php

Head and Hands
headandhands.ca/fr/programmes-services/
sante/

Hôpital de Montréal pour enfants
Child Development Program - Gender Variance
514 412-4314

Jeunesse J'écoute
www.jeunessejecoute.ca/
1 800 668-6868

Jeunesse Lambda
www.jeunesselambda.org/

maSexualité.ca
www.masexualite.ca/

Projet 10
p10.qc.ca/about-2 ?lang=fr

Tel-Jeunes
teljeunes.com/accueil
1 800 263-2266

TransParent Canada
www.transparentcanada.ca/ ?file=kop1.php

Ressources en France

Association des Parents et futurs parents Gays et Lesbiens
www.apgl.fr/

Contact
www.asso-contact.org/
0805 69 64 64

Ex-æquo (infos pour les jeunes se questionnant sur leur orientation sexuelle)
http ://jeunexaequo.be/

Fil santé jeunes (questions relatives à la sexualité)
www.filsantejeunes.com/
0 800 235 236

L'Inter-LGBT (Marche des Fiertés de Paris)
www.inter-lgbt.org/

Le Refuge (ligne d'écoute contre l'isolement des jeunes)
www.le-refuge.org/
06 31 59 69 50

Ligne Azur (ligne d'écoute)
www.ligneazur.org/
0 801 20 30 40

MAG jeunes LGBT (jeunes gais, lesbiennes, bi et trans âgés entre 15-26 ans)
www.mag-paris.fr/

SOS Homophobie (ligne d'écoute)
www.sos-homophobie.org/
01 48 06 42 41

*Dans la même
collection*

Sophie
Laroche

Le **carnet** de
GRAUKU

Préface de
Michèle Barbara Pelletier

ÉDITIONS DE MORTAGNE

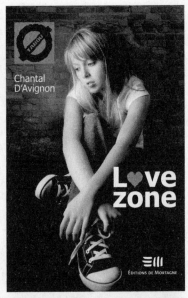

Chantal
D'Avignon

L♥ve
zone

ÉDITIONS DE MORTAGNE

Rachel
Gagnon

AILLEURS

ÉDITIONS DE MORTAGNE

Sophie
Girard

Le **choix** de
Savannah

ÉDITIONS DE MORTAGNE

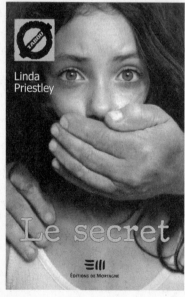

*Dans la même
collection*

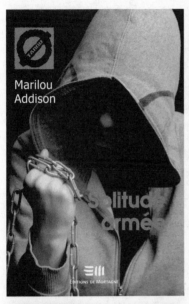

Marilou
Addison

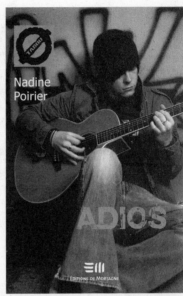

Nadine
Poirier

Kim Messier

Sophie
Laroche

Dans la même collection

Onde de choc

Raphaël et Elliot ont toujours été amis. Leurs retrouvailles, chaque été, étaient autrefois accompagnées de rires, de complicité et de joie. Mais l'été de leurs dix-sept ans sera différent...

Elliot a changé. Il s'est fait une blonde – la belle Anaëlle – et il carbure encore plus à l'adrénaline qu'avant. Il n'a peur de rien et défie la vie – ou la mort – quotidiennement. Quant à Raphaël, il craint presque son ombre et suit son ami à reculons... jusqu'au jour où, sur la falaise, il met Elliot au défi de sauter. Ce jour-là, la vie des deux adolescents bascule.

Rongé par les remords, Raphaël est sous le choc lorsque Elliot lui demande de l'aider à mourir. Qui est-il, lui, pour exercer ce droit de vie ou de mort ? Et d'abord, le veut-il ?

*Toujours considérée comme un acte illégal dans plusieurs pays, dont le Canada, **l'euthanasie** suscite bien des débats. L'histoire d'Elliot et de Raphaël nous place devant une décision que personne ne voudrait avoir à prendre.*

*Dans la même
collection*

Fille à vendre

Leïla est une jeune fille de quinze ans. Avec de grands rêves. Avec des espoirs. Avec des envies de liberté. Mais par-dessus tout, elle souhaite trouver l'amour, le vrai. Bref, Leïla est comme toutes les autres filles de son âge.

Grâce à Jonathan, son nouveau chum, elle se sent comme une adulte, en plein contrôle de sa vie. Les amis du jeune homme – qui le surnomment Young Gun – l'ont acceptée comme si elle était des leurs. Pour une fois, elle se sent à sa place. Appréciée, désirée. Son beau prince l'initie à tous les plaisirs. Mais la fête finit par mal tourner. La vie rêvée se transforme en cauchemar et le réveil est brutal. Sauvage. Inhumain.

__L'exploitation sexuelle__ des jeunes filles par les gangs de rue est un sujet tabou parmi tous les tabous... C'est toutefois le sort que connaissent bien des adolescentes au Québec. Sans voile ni censure, Leïla raconte son histoire en espérant qu'elle permettra à d'autres, comme elle, d'ouvrir les yeux et de tout faire pour s'en sortir. Et d'éviter les pièges.

Dans la même collection

Recrue

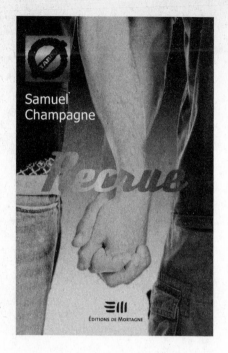

Samuel Champagne

ÉDITIONS DE MORTAGNE

Une recrue... Voilà comment Thomas se sent. Un nouveau, un débutant. Dans un univers qu'il ne connaît pas et qui lui fait très peur : celui de l'homosexualité.

Alors que Maxence, fraîchement débarqué d'Angleterre, semble s'intéresser à lui, Thomas se pose bien des questions. Leur relation déborde-t-elle du cadre de l'amitié ? Max, ce sportif populaire, peut-il réellement être gai ? Il n'en a pourtant pas l'air...

À seize ans, Thomas a de la difficulté à le croire, mais il finit par l'admettre : il aime les hommes. Déjà que son quotidien n'est pas simple, alors que sa passion pour la danse attire sur lui les propos homophobes de ses camarades, l'avenir s'annonce encore plus compliqué...

*Environ 5 % de la population mondiale est homosexuelle. Mais trop peu de jeunes admettent leur différence, de peur d'être rejetés. Dans une société qui se dit moderne et ouverte d'esprit, des efforts sont encore nécessaires afin que les tabous entourant **l'homosexualité masculine** disparaissent.*

Dans la même collection

Coming out

C'est officiel, Léa sort avec Frédérique. Après une nuit de rêve dans un hôtel luxueux, elle redescend toutefois de son nuage. Alexis et Ariane, ses deux meilleurs amis, ont découvert qu'elle était lesbienne. Elle doit tout leur avouer... Mais pas question de le dire à ses parents ! Craignant que son secret ne soit dévoilé au grand jour, et déçue par la réaction démesurée d'Ariane, Léa décide de renoncer à l'amour de Fred.

Un an et demi plus tard, elle fait la rencontre d'Anne, qui devient sa nouvelle copine. Aussitôt, les cachotteries recommencent. Mais Léa n'en peut plus d'inventer des histoires... Une importante décision s'impose à elle : il est grand temps de faire son coming out !

Pour une adolescente, faire son coming out peut être synonyme de lourdes conséquences, car la crainte de perdre l'affection, l'amour et la reconnaissance de ses proches est omniprésente. L'auteure du Placard, *paru dans la même collection, explore de nouveau le sujet de **l'homosexualité féminine**. Elle démontre cette fois qu'assumer son orientation sexuelle est la meilleure voie à suivre.*

Dans la même
collection

Écorché

Félix Gravel a connu une enfance difficile. Avec un père violent et alcoolique, et une mère qui n'arrivait pas à tenir tête à son mari, le jeune garçon a appris à ne rien espérer de la vie.

À dix-sept ans, Félix veut finalement se prendre en main. Alors qu'il atterrit chez la famille Simard pour quelques mois, il revoit la jolie Frédérique. Élevée dans le luxe et la facilité, elle est bien différente de lui, mais il ne peut résister à l'envie de la séduire...

Frédérique voit en Félix une échappatoire à sa petite vie bien rangée. S'étant toujours conformée aux standards de perfection de sa mère, l'adolescente souhaite désormais s'affirmer et faire ses propres choix. Se laissera-t-elle influencer par le côté *bad boy* du jeune homme ?

*Beaucoup d'adolescents sont aux prises avec de sérieux **troubles du comportement,** parfois provoqués par un traumatisme, par un désir de s'affirmer ou de se rebeller contre les règles établies. À l'âge où l'avenir se prépare, le soutien des proches est précieux, afin de permettre à ces jeunes de trouver leur place dans la société.*

*Dans la même
collection*

L'effet boomerang

Je m'appelle Lou et, il n'y a pas si longtemps, je partageais ma vie entre ma meilleure amie Lucie, Benjamin (que j'aimais en secret), et les heures de retenue que me donnait sans arrêt le directeur adjoint de mon école. J'y passais tellement de temps, d'ailleurs, que j'ai fini par y côtoyer Malo Servais, le garçon qui a brisé le cœur de Lucie. Je ne croyais pas cela possible, mais j'ai découvert en lui un être sympathique… qui m'a fait connaître la véritable amitié gars-fille. Jusque-là, tout allait bien, j'étais une adolescente comme les autres. C'est ensuite que ça s'est gâté.

J'ai prononcé le prénom de Malo devant mes parents, et là, une véritable bombe a explosé ! Pourquoi ma mère a-t-elle réagi si violemment ?

Toutes les familles ont des secrets, mais certains sont beaucoup plus graves que d'autres. Quand la vérité refait surface après plusieurs années, les conséquences sont parfois désastreuses. À l'adolescence, un lourd **secret de famille** *peut ébranler notre confiance en soi, nos rêves et notre bonheur… Il ne faut alors pas négliger l'importance de l'amitié pour surmonter les obstacles.*

*Dans la même
collection*

Ce qui ne tue pas

Emilie
Turgeon

Ce qui ne
tue pas

Éditions de Mortagne

Lili, Frankie et Liz avaient élaboré le plan parfait : mourir tous ensemble, sans que les gens croient à un suicide. C'est du moins ce qu'ils pensaient. Mais ça ne s'est pas passé comme prévu... Lili, elle, a survécu.

Après un long coma, elle se réveille à l'hôpital, où tout le monde crie au miracle. Mais pour l'adolescente, c'est un désastre. Elle n'est pas morte comme elle le voulait ! Pas facile de se battre pour recommencer à marcher quand ton seul souhait est d'en finir...

Lentement, Lili prend toutefois conscience que son geste a eu de graves répercussions sur les membres de sa famille. Méritaient-ils toute la peine qu'elle leur a fait endurer ? Au-delà du rétablissement de son corps brisé, la jeune femme devra entreprendre une guérison beaucoup plus difficile. Celle de son esprit.

*L'adolescence est une étape obligée, bien qu'éprouvante. Quand les choses tournent mal, on en vient parfois à envisager des solutions extrêmes, comme un **pacte de suicide**. Un appui extérieur aurait pu aider Lili à y voir clair afin d'éviter d'emprunter cette voie sans retour.*

Achevé d'imprimer au Canada
sur les presses de Imprimerie Lebonfon Inc.